RAIN MAN

RAIN MAN

de

Leonore Fleischer

d'après un scénario de
Ronald Bass et Barry Morrow
et une histoire de
Barry Morrow

PRESSES POCKET

ISBN 2-266-3045-0

Chapitre 1

C'était parfait. Non, rien ne pouvait foirer. Une affaire en or. Une comme Charlie Babbitt n'en avait encore jamais monté, une enfin avec tout ce qu'il appréciait le plus au monde. Du panache, de la classe, rien à investir et un paquet de fric à la sortie. Bref, un deal rapide et, attention, tout ce qu'il y a de plus légal. Du fastoche, pas le moindre risque à l'horizon. Mais ça, pas de risque, c'était ce que Charlie Babbitt voulait bien se répéter.

D'accord, l'affaire exigeait un sacré bagou et de fameuses qualités de jongleur. Or Charlie était passé maître dans ce domaine. Il lui avait fallu quelques semaines pour monter son coup mais ça en valait la peine.

Le plus difficile avait été de trouver l'argent. Deux cent mille dollars. Faut se démener pour dégoter un bailleur disposé à vous allonger une somme aussi coquette. Bert Wyatt s'était d'abord montré réticent, flairant l'entourloupe. Mais il n'y avait pas de combine, pas l'ombre d'une arnaque. La caution était là, à étinceler sur le quai de quatorze couches de laque et de chrome : six magnifiques Lamborghini fraîches débarquées de leur terre natale, valant chacune près de quatre-vingt mille dollars. Oui, six beautés bien à lui... du moins pour l'instant. Il pouvait les regarder, et même les toucher, passer sa main sur leurs flancs harmonieux, soulever les capots comme on ouvre un écrin pour découvrir des bijoux de mécaniques, se glisser sur leurs sièges à l'odeur de cuir frais. Bon sang, que ça sentait bon! A mettre dix longueurs d'avance à tous les parfums de femme!

– Et voici les papiers, avait lâché avec une indicible fierté Charlie Babbitt à l'inspecteur des douanes en sortant les documents de son élégante mallette en peau d'autruche. Six Lamborghini dernier modèle, payées comptant, une gris métallisé, deux noires, une blanche, et deux rouges.

Sourd à la félicité enthousiaste de Charlie, l'inspecteur avait soigneusement épluché chaque document avant de les signer et de les marteler à coups de tampon. Alors seulement il avait levé les yeux vers Charlie, et demandé avec un sourire sarcastique :

– Vous allez les engager dans une course de stock-car?

– Non, m'sieur, dans la parade de Miss Amérique! avait répliqué Charlie, le visage fendu d'un sourire éclatant.

Sur le chemin du retour à son bureau, il avait pensé et repensé à l'affaire, cherchant l'erreur, traquant le grain de sable. Il n'avait rien trouvé. Pas de doute, il tenait là un chef-d'œuvre, le légitime résultat de près de dix ans de galère à conclure de minables marchés pour gratter quelques misérables dollars. Il allait enfin sortir du peloton des besogneux, du petit peuple des vendeurs de bagnoles d'occasion pour entrer dans l'ordre des seigneurs de la profession, ceux qui prospéraient derrière les vitres immaculées de halls d'exposition beaux comme des cathédrales. Adieu, San Pedro. Bel air *, à nous deux!

Bon, voilà comment devait fonctionner l'affaire : Wyatt prêtait les deux cent mille dollars sur un court terme de quatre semaines... à 17 % d'intérêt mensuel, le vorace! Naturellement les Lamborghini servaient de caution. Au prêt de Wyatt s'ajoutaient les arrhes confortables versées à titre d'acompte sur les voitures par les six clients, des avocat, qu'avait démarchés Lenny Barish.

Charlie avait, au terme d'un rude marchandage avec le concessionnaire italien, obtenu un prix de quarante mille dollars pour chacune des Lamborghini qui ne totalisaient pas à elles toutes plus de huit cents kilomètres au compteur. Trois ans auparavant, Charlie aurait payé moins, mais le dollar n'avait plus la forme olympique, à moins que la lire n'eût sacrément repris du poil de la louve. Tout de même il n'était pas mécontent de ce prix.

* Quartier huppé de Los Angeles *(NdT)*.

Il pouvait les revendre à soixante-quinze mille, et s'offrir même le luxe d'une remise de dix pour cent, à titre gracieux.

Jusqu'ici ça baignait. Les voitures étaient à quai, à San Pedro, avec la bénédiction des douanes. Charlie avait tenu à assister au débarquement, histoire de s'assurer qu'aucune de ces beautés n'avait souffert du transport. C'était bon de les avoir vues, et de savoir leurs titres de propriétés gentiment rangés dans sa mallette.

Il ne restait plus à Charlie que de planquer les Lamborghini en un lieu sûr, d'obtenir leurs immatriculations californiennes, de ramasser le reste de l'argent auprès des acheteurs auxquels il ferait, bon prince, un rabais supplémentaire de cinq mille dollars, de leur livrer leurs coûteux joujous, de rembourser Wyatt de son prêt, plus les intérêts, et enfin de se retrouver bénéficiaire de plus de cent mille dollars, tout ça sans s'être sali les mains ni avoir froissé son costume sur mesure de chez Giorgio Armani. Et sans avoir mis un seul sou de sa poche.

Tout le monde serait content. Six avocats de Beverly Hills spécialisés dans les divorces de stars pourraient parader sur l'asphalte en éveillant des jalousies piétonnières, le bailleur récupérerait ses fonds plus les petits qu'ils auraient fait entre-temps. Quant à Charlie Babbitt, il se paierait un beau duplex à Palm Springs. Il n'avait qu'un regret, celui de devoir vendre toutes les voitures, parce que la blanche, dans son élégance de cygne, lui avait donné une folle envie d'être le seul à serrer dans ses mains son volant de noyer. Mais tant pis, et de ces beautés-là l'Italie n'était pas avare. Un jour, il aurait la sienne. Une qui porterait son nom.

L'affaire était censée se régler en moins de deux, mais Charlie s'était donné une marge de quatre semaine. Il aurait ainsi tout le temps de faire immatriculer les voitures, même avec les cerbères du Service de l'environnement et leurs règlements antipollution.

Oui, une affaire en or, qui portait le doux nom de *bénéfice*. Le sien... et celui de Lenny. Charlie avait promis vingt-cinq mille dollars à Lenny, et ça rien que pour avoir trouvé les acheteurs. Lenny n'était pas à proprement parler un associé, bien qu'il en portât l'étiquette, et il n'allait tout de même pas toucher la moitié du magot, quand c'était Charlie le cerveau de l'affaire, non?

Mais alors pourquoi, oui pourquoi ce deal facile, cette élémentaire transaction était en train de passer sous ses yeux d'un joyeux « C'est-dans-la-poche » à un inquiétant « Ça-tombe-à-l'eau »?

Toute l'affaire n'avait de sens que rapidement menée, promptement conclue. Deux cent mille dollars à 17 % d'intérêt vous pondaient au terme des quatre semaines un œuf de trente-quatre mille dollars, une omelette somme toute difficile à digérer. Et voilà qu'on en était à six semaines et que l'affaire n'avait toujours pas été « promptement conclue »! Le compteur tournait, les chiffres s'additionnaient, vous affligeant la moelle. A ce train-là, ce n'était plus un duplex à Palm Springs mais une loge de portier qui attendait Charlie Babbitt.

Saloperie de Service de protection de l'environnement! Pourquoi ces enfoirés ne couraient-ils pas au secours des baleines ou sus aux défectuosités des centrales nucléaires, au lieu de harceler un jeune chef d'entreprise de leurs mille réglementations locales en matière de carburation et de gaz d'échappement? Ah, ils s'en fichaient pas mal, au S.P.E., qu'on ait toutes les peines du monde à mettre la main sur des gicleurs de carburateurs qui soient à la fois conformes aux normes en vigueur en Californie et adaptables à des Lamborghini. A des Chevrolet, bien sûr. Des Jeep Cherokee, pas de problème. Mais des Lamborghini? Des semaines avaient passé, et son mécanicien n'avait toujours rien trouvé. Charlie était prêt à payer cinq cents dollars pièce ces foutus adaptateurs. En vain. Pas un casse, pas un ferrailleur, pas un seul voleur spécialisé dans l'accessoire automobile qui n'en eût en stock!

– Ils auraient pu y penser, ces tordus de Ritals, grogna le mécanicien de Charlie, un grand costaud qui répondait au nom d'Eldorf. Ils s'en foutent pas mal, là-bas, de l'air qu'ils respirent.

Sans les adaptateurs, le S.P.E. avait refusé par trois fois la mise en circulation des voitures. Et sans le cachet d'approbation du Service de l'environnement sur les papiers des véhicules, leur vente dans l'état de Californie était impossible. Point final. Charlie aurait pu les expédier dans l'Oregon, où la réglementation était moins tatillonne, mais il n'en avait plus le temps. Où et comment trouver à la dernière heure et à un prix raisonnable un transporteur capable d'acheminer les voitures?

Oui, la belle affaire tombait à l'eau. Charlie avait déjà bouffé les arrhes versées par les acheteurs. Certes ces acomptes faisaient partie de ses bénéfices, et il n'avait vu aucune raison de ne pas se hâter de les claquer. Un homme de sa classe avait une image à défendre. Et le « look », de nos jours, était une marchandise pouvant s'avérer très onéreuse selon les besoins. Une simple coupe de cheveux, bien sûr pas chez le tondeur de chiens du coin de la rue, vous coûtait deux cent cinquante dollars (avec le pourboire à la shampouineuse). Des lunettes de soleil, article indispensable sous ces latitudes, pouvaient monter jusqu'à quatre cents billets. Il suffisait qu'un célèbre designer ait apposé sa signature en pattes de mouche sur la monture. Sans parler du dollar américain qui ne risquait pas de rejoindre dans les airs l'aigle qui est notre emblème. Un costume, comme seuls les Italiens savent en couper, eh bien, ça coûtait mille trois cents dollars deux ans plus tôt. Pour le même, aujourd'hui, vous pouviez en rajouter sept cents. Enfin, voilà une affaire qui s'annonçait comme une balade de santé et qui prenait des allures de parcours du combattant. Le bailleur et les acheteurs s'impatientaient... s'impatientaient énormément.

Et leur nervosité gagnait Charlie Babbitt. Un sale climat s'installait. Il y avait comme des moiteurs dans l'air, et la chaleur n'y était pour rien.

***

Susanna Palmieri gara sa Volvo à côté de la petite Ferrari racée de Charlie Babbitt. Il était onze heures et demie du matin, ce vendredi, quand elle descendit de voiture et considéra le bâtiment dans lequel elle avait travaillé durant ces trois dernières semaines. « BABITT EXPO » s'étalait en grandes lettres sur la façade de tôle ondulée du hangar... mais il n'y avait rien d'exposé à l'intérieur hormis la poussière qui recouvrait le sol en ciment. Le hangar était sis tout au bout d'une longue artère flanquée d'entrepôts et de décharges industrielles de toutes sortes. Érigé dans un but provisoire en 1946, il avait abrité une succession d'entreprises éphémères à laquelle « BABBITT EXPO » ne risquait pas de faire exception.

Comment une jeune femme comme elle, belle, intelligente, issue d'une famille italienne qui ne badinait pas avec la morale, avait-elle pu, après de brillantes études dans une institution religieuse, s'acoquiner avec un individu tenant un commerce douteux dans un hangar promis au bulldozer au fin fond d'une banlieue perdue?

Pourquoi Susanna Palmieri, manifestement destinée à devenir l'épouse d'un cadre dynamique, nanti d'un revenu stable et d'une libido pas trop exigeante, s'était-elle liée avec un bonhomme comme Charlie Babbitt, au point que tous deux s'apprêtaient à passer le week-end en amoureux à Palm Springs? Elle secoua d'un air charmant sa jolie tête et, ramassant son petit sac de voyage, s'en fut vers la petite porte latérale ouvrant sur le minuscule bureau qu'elle connaissait si bien. Pourquoi? s'interrogea-t-elle à nouveau.

Elle trouva la réponse en même temps que son regard tombait sur le propriétaire de « BABBITT EXPO », occupé à vociférer au téléphone. La réponse s'appelait Charlie Babbitt.

Susanna resta un long moment à le regarder. Pas de doute, c'était le plus bel homme qu'elle eût jamais rencontré. Grand, avec un corps d'athlète de vingt-six ans, Charlie avait d'épais cheveux noirs dont les ondulations rebelles défiaient sans cesse la discipline des peignes et des brosses. Il avait des yeux verts fendus en amande et ombragés de cils à rendre vertes de frustration les porteuses de faux cils. Il avait des lèvres pleines, presque féminines... jusqu'au moment où il souriait. Quand Charlie Babbitt souriait... oh, qui pouvait résister à cette rangée de dents parfaites, à cette fossette au menton, à l'éclat vert de ces yeux qui vous invitaient au voyage?

Pourtant Susanna n'était pas femme à se laisser séduire par le physique d'un homme, fût-il aussi irrésistible que celui de Charlie. La beauté plastique est certainement une grande joie pour les yeux et le reste, mais sans ramage le plus beau des plumages finirait par lasser.

Or, en fait de ramage, Charlie possédait une intelligence aiguë, affûtée comme une lame. Sous son apparence de beau gosse frimeur couvait un tempérament explosif en même temps qu'une remarquable aptitude à percevoir sur-le-champ le fond d'un problème et à en trouver tout aussi rapidement la solution. Si seulement Charlie Babbitt avait su discipliner cette intelligence et se donner des ambitions plus réalistes au lieu de courir après l' « affaire du siècle », il aurait pu s'aligner sur la ligne de départ aux côtés d'authentiques conquérants de cette fin de millénaire.

Tout en tirant une longue bouffée sur la Lucky Strike coincée entre ses lèvres, Charlie fit un signe de la main à Susanna et l'invita à se mettre au travail, mais toute son attention restait rivée à sa conversation téléphonique. Susanna gagna son bureau et décrocha le téléphone. De ses doigts fins, elle pianota la longue série de chiffres d'un appel longue distance, porta le combiné à son oreille, et demanda : « *Pronto? Qui BABBITT EXPO.* »

« BABBITT EXPO » puait le tabac froid. Les cendriers débordaient de mégots et par leur quantité et leur volume semblaient disputer l'espace au misérable mobilier qui se composait de trois petits bureaux métalliques, tout juste bons pour un lot à cinq dollars dans une vente publique, de trois chaises en bois et d'une armoire-classeur en fer. Le premier bureau était celui de Charlie, le second, celui de la secrétaire – une secrétaire fictive, et qui le resterait. C'était précisément ce bureau-là qu'avait hérité Susanna Palmieri, peu de temps après que Charlie l'eut rencontrée et qu'il fut tombé amoureux de sa beauté gracile, de cette fierté toute romaine qu'accentuait un charmant accent. Aussitôt qu'il eut appris qu'elle parlait couramment l'italien, *lingua tuscana en bocca romana*, il avait fait donner toute la séduction dont il était capable. Ils devinrent amants dès la première semaine où elle travailla à « BABBITT EXPO », et se révéla d'une aide précieuse dans l'achat des Lamborghini au concessionnaire italien.

Au troisième bureau officiait l' « associé » de Charlie. En titre, du moins, car, en pratique, il n'était que son employé. Lenny Barish avait vingt ans, mais il avait passé les trois dernières années de sa jeune existence à faire de la vente par téléphone. Il avait acquis une certaine maîtrise au combiné. Pour le moment, c'était lui qu'assaillaient d'appels les acheteurs verseurs d'arrhes des Lamborghini. Leurs voix impatientes semblaient lui grignoter les tympans, comme une souris un fromage, et il se défendait par une litanie rassurante. En face de lui, de grossières cartes de l'Allemagne de l'Ouest et de l'Italie étaient punaisées au mur. Charlie Babbitt avait beau saper Armani et chausser Weston, il n'en restait pas moins un minable vendeur de chignoles d'occase montant des coups tordus depuis un trou à rat.

Charlie cessa de crier pendant un moment pour écouter son correspondant en tirant de furieuses bouffées sur sa cigarette. On le sentait près d'exploser de nouveau. A deux mètres de lui, Lenny continuait de marmonner ses apaisements.

– Non, monsieur, disait-il, j'en ai justement parlé avec Mr Babbitt ce matin et... Il leva un regard suppliant vers Charlie et tenta de quérir son attention, mais Charlie avait ses propres ennuis.

– Ça fait plus de cinq semaines et demie! hurlait-il dans le récepteur. Presque six semaines! Eldorf, dis-moi comment tu te démerdes pour te faire baiser trois fois par ce p... de S.P.E.?

Lenny releva la tête d'un air douloureux, tandis que continuait de se déverser dans son oreille le lamento de l'acheteur de la Lamborghini grise. Ce troisième refus du Service de protection de l'environnement était apparemment une nouvelle pour lui. Et une mauvaise.

– Euh... justement, articula-t-il péniblement, je crois que nous allons enfin obtenir ces autorisations du service antipollution... c'est l'affaire d'un jour ou deux...

– Mais qu'est-ce que t'es, Eldorf? beugla Charlie. Un mécano automobile ou un ingénieur de la NASA? Si tu trouves pas ces p... d'adaptateurs, usine-les, mon vieux. USINE-LES! Invente-les! Des gicleurs de carburateur, c'est tout de même pas la navette spatiale, non? On est en train de crever, ici, Eldorf! Aide-moi, merde!

Lenny commençait à transpirer, tandis que l'acheteur accentuait la pression.

– Vous savez... je ne pense que ce soit nécessaire, bredouilla-t-il en faisant de grands signes à Charlie.

Mais Charlie continua de l'ignorer.

– Qu'est-ce que je vais dire à mon bailleur, hein? Tu oublies que je lui dois deux cent mille dollars? Rageusement, il écrasa sa cigarette dans le cendrier débordant, pour en allumer aussitôt une autre.

Susanna termina sa conversation par un gracieux *Ciao,*

grazie, et raccrocha. Elle jeta un coup d'œil à son bracelet-montre et fronça les sourcils. Elle fit un signe à Charlie en tapotant le verre de sa montre. Il était bientôt onze heures, et ils avaient intérêt à ne pas traîner s'ils ne voulaient pas se retrouver coincés dans les embarras du vendredi. La route était longue jusqu'à Palm Springs, et Susanna n'avait pas envie de traverser le désert de nuit. Charlie lui avait promis une « fête » de trois jours. Il y avait de cela une semaine, quand il espérait encore avoir quelque chose à fêter.

Charlie jeta à Susanna un bref regard accompagné d'un hochement du bonnet qui signifiait : « Un peu de patience, chérie. Tu vois bien que je ne suis pas en train de m'amuser. »

– Il aurait pu embarquer les bagnoles il y a onze jours! reprit-il avec rage. Et pour le tenir à distance, j'ai qu'un fouet et une chaise! Susanna perçut une note de panique dans la voix de Charlie.

Le téléphone sonna, le troisième, celui sur le bureau de Susanna. Charlie coula vers elle un regard la priant de répondre. La jeune femme ôta le gros anneau d'or à son oreille, décrocha le combiné et annonça d'une voix enjouée : « Babbit Expo, j'écoute. » Un grognement de dogue qui vient de se faire ravir son os lui répondit.

– Oui, monsieur, poursuivait inlassablement Lenny dans son coin, je sais... je sais que notre accord était de quatre semaines... Il tenta une fois de plus d'attirer l'attention de Charlie, mais sans plus de succès que les deux précédentes. Décidément, c'était comme à la guerre, chacun pour soi.

– Écoute, Eldorf, combien gagne un de ces trous du cul de la S.P.E.? demanda Charlie. Et si tu leur glissais une enveloppe? Il s'interrompit abruptement car Susanna lui faisait des signes frénétiques. Elle avait placé sa communication en attente, mais l'expression de son visage signalait l'urgence.

– C'est Wyatt, lui dit-elle. A propos de son prêt...

Charlie ne broncha pas, mais son visage et ses yeux verts prirent une apparence étrangement minérale.

– S'il n'a pas son argent d'ici cinq heures et demie, continua Susanna, il saisit toutes...

– J' te rappelle, aboya Charlie au téléphone, et il raccrocha sans laisser le temps au mécanicien de répondre.

– ... les voitures, acheva Susanna.

Sur le beau visage de Charlie Babbitt se dessina un sourire. Un sourire juvénile mais viril, un sourire persuasif. Spontanément méfiante, Susanna se mit à secouer la tête. Non, quoi qu'il eût en tête, elle ne voulait rien entendre. Son âme immortelle était déjà suffisamment en péril par le seul fait de sa présence auprès de Charlie Babbitt.

Charlie posa doucement sa main droite sur la taille de la jeune femme. Sa voix se fit douce, calme, comme si tout allait pour le mieux dans le meilleur des mondes, et que tout cela n'était que routine quotidienne.

– Dis-lui... que tu ne comprends pas. J'ai signé le chèque mardi. Tu m'as vu le signer avec tous les autres. Et tu l'as remis toi-même au facteur quand il est passé avec le courrier.

Susanna continua de secouer la tête négativement. Elle ne savait pas exactement où Charlie voulait en venir, mais elle reconnaissait un mensonge quand elle en entendait un. Pendant trois semaines elle n'avait pu ignorer ce qu'il se passait entre ces quatre murs avec les éclats téléphoniques de Charlie et les lénifiantes litanies de Lenny, mais elle ne s'en était pas moins tenue farouchement à l'écart de leurs « affaires ». Elle avait été engagée par « BABBITT EXPO » pour s'occuper de la transaction avec les Italiens, parce qu'elle était d'origine italienne et parlait couramment la langue. Son travail s'arrêtait là... plus exactement il se serait arrêté là si un lien sentimental n'était venu la lier à Charlie Babbitt. Difficile de dire non à l'employeur et « oui » à l'amant, quand ils ne formaient qu'une seule et même personne.

Charlie passa sa main dans l'épaisse chevelure de Susanna.

– S'il te plaît, dit-il, suave. J'ai besoin de ton aide.

Tout en pestant intérieurement contre Charlie et en maudissant sa propre faiblesse, elle rebrancha la communication avec le bailleur en colère.

– Je ne comprends pas, Mr Wyatt, dit-elle. Mr Babbitt a signé le chèque mardi. Je l'ai vu le signer avec tous les autres. Et je l'ai remis en personne au facteur quand il est passé avec le courrier... Derrière elle, elle entendit Charlie qui poussait un grand soupir de soulagement... Oui? Une seconde, je vous prie, on appelle sur l'autre ligne...

Elle replaça en attente la communication et se tourna vers Charlie.

– Il veut son fric d'ici ce soir, et pas de baratin, rapporta-t-elle.

Charlie Babbitt se mit à arpenter nerveusement l'espace étroit entre les deux bureaux, son cerveau branché sur la fréquence « cas d'urgence ».

– Il ne pourrait pas demander à son comptable de vérifier encore une fois si le chèque est parvenu ou pas? A titre de faveur pour toi. Tu risquerais de perdre ta place s'il y avait un problème...

Susanna pinça les lèvres d'un air sceptique mais reprit de nouveau la communication.

– Serait-ce trop vous demander, Mr Wyatt, de vérifier encore si ce chèque n'est pas arrivé? Je vous le demande comme une faveur personnelle... C'est que je risquerais de perdre ma...

Elle fut interrompue par un bruyant martèlement. Charlie et elle se tournèrent vers Lenny, réduit à cogner du poing sur la table pour attirer l'attention de son associé. Le garçon leva vers eux des yeux hagards. De grosses gouttes de sueur roulaient dans son cou. Sa voix n'était plus qu'une plainte rauque.

– Oui, monsieur, je le lui dirai... oui, monsieur, dès qu'il sortira de sa réunion...

Touché par le désarroi de Lenny, Charlie s'approcha de lui pour le soutenir. Mais Susanna requérait encore son attention. Il se tourna vers elle, déchiré entre deux appels au secours.

– Wyatt ne veut rien entendre, Charlie, rapporta-t-elle. Il veut son fric, point final.

Charlie Babbitt ferma les yeux pendant un moment. Il respira profondément avant de s'élancer comme un rat de laboratoire à la recherche d'une issue. Il en trouva une, bien sûr, mais une tout juste bonne pour qu'une souris s'y glissât.

– Bon, dit-il avec impatience. Écoute, je suis dans un avion pour Atlanta. Tu laisseras sur mon bureau un chèque de remplacement que je signerai à mon retour lundi matin. C'est tout ce que tu peux faire... d'accord?

La jeune femme fit la grimace. Non seulement il lui fallait jouer une sinistre comédie, mais voilà qu'on le lui demandait sur un ton qui ne lui plaisait pas, mais alors pas du tout. Ce Charlie, il y avait des fois où il lui faisait bouillir le sang. Elle retourna à son téléphone.

Charlie reporta son attention sur Lenny qui continuait de batailler avec son acheteur.

– Ma foi, je ne ferais pas ça, monsieur, coassa-t-il. Pas avant d'avoir parlé à Mr Babbitt... Euh, vous voulez son numéro de téléphone privé? Euh... Lenny jeta un coup d'œil à Charlie, qui secoua énergiquement la tête. Il est sur la route en ce moment et...

– Charlie! appela Susanna.

Il se retourna brusquement vers elle, le visage assombri, les yeux aussi froids que la mer Baltique.

– Ça t'ennuierait pas de prendre le même train que nous? grogna-t-il. Juste une fois?

Susanna tressaillit comme s'il l'avait frappée, mais se garda de répliquer. Ça chauffait assez comme ça pour ne pas en rajouter, pensa-t-elle sagement.

– Wyatt veut que tu l'appelles dès que tu atterriras.

– Charlie! beugla soudain Lenny.

Charlie Babbitt sentit que la valve de la cocotte-minute dans laquelle il avait l'impression d'être enfermé venait de sauter, libérant toute la vapeur contenue. Il avait tenu bon jusque-là, à danser sur une corde raide qui ne lui appartenait même pas. Mais ce meuglement éperdu de Lenny avait déclenché l'explosion. Il pivota sur lui-même et, dans le même mouvement, balaya de sa main la table de Lenny, envoyant valdinguer dossiers, annuaires, papiers, support du téléphone et cendrier sous le regard stupéfié du garçon.

– Tu... as... un... problème...? demanda Charlie avec une menaçante lenteur.

La pomme d'Adam de Lenny exécuta un rapide va-et-vient dans sa gorge.

– Mr Bateman veut se retirer... et Mr Webb en fait autant... articula difficilement Lenny Barish. Ils... euh... ils veulent récupérer leurs arrhes... Il murmura presque ces derniers mots, conscient que ces arrhes étaient chose morte et enterrée depuis longtemps.

Charlie ferma les yeux, attendant en silence la suite.

– Ils ont trouvé deux autres voitures à Valley Motors... poursuivit Lenny. Et ils vont les acheter.

– S'il te plaît, Charlie, demanda Susanna.
Il se tourna tranquillement vers elle, et ce fut avec le calme qui suit les explosions qu'il tendit l'oreille.
– Wyatt veut savoir où sont les voitures.
Il hocha la tête Normal qu'il veuille savoir, mais du diable s'il saurait!
– Dis-lui la vérité... que tu ne sais pas.
Charlie était le seul à le savoir. Les voitures représentaient son ultime atout, et sa bouée. Il n'allait pas la lâcher. Il se tourna vers Lenny.
– Dis à Bateman que tu viens juste de m'avoir au téléphone, et que c'est réglé en ce qui concerne le S.P.E. Et dis-lui aussi... Il hésita, pesant une décision manifestement douloureuse... Que je leur fais, à lui et à Webb, une remise de cinq mille dollars de plus... en remerciement de leur patience.
Lenny hocha la tête d'un air reconnaissant et reprit sa conversation, tandis que, de son côté, Susanna raccrochait.
– Lundi, dit-elle.
Wyatt avait accepté d'attendre jusqu'à lundi.
Lundi. Et on était vendredi. Charlie avait tout le week-end pour trouver une solution. Deux jours et demi de sursis, c'était plus qu'il n'avait espéré. Il laissa échapper un grand soupir, et ses muscles se relâchèrent. Il regarda Susanna et parut la voir pour la première fois depuis son entrée dans le bureau. *Sa* Susanna. Brave fille, elle était restée à ses côtés, n'avait pas déserté. Ah ça, il allait lui offrir un week-end dont elle garderait un souvenir ému, foi de Charlie Babbitt! Elle était si jolie. Le regard de Charlie se brouilla légèrement tandis qu'il dévorait des yeux le corps gracile, délicat. Il l'attira contre lui, serrant dans ses mains le galbe parfait des épaules, déposant un baiser sur les lèvres purpurines.
– Alors, prête pour Palm Springs?
Susanna ouvrit de grands yeux noirs.
– Quoi? Nous y allons toujours?
Charlie acquiesça d'un air détaché. Où était le problème?
– Bien sûr, qu'est-ce qui nous en empêche. On va pas s'en faire pour si peu.
– Pour si peu? répéta Susanna.

– Eldorf va nous les trouver, ces gicleurs, dit-il avec confiance. Et le S.P.E. nous délivrera les autorisations, les clients auront leurs beaux joujous, Wyatt son fric, et... Il marqua une pause pour ménager son effet... moi, j'empocherai cent vingt mille dollars... Il lui fit son sourire numéro deux, le plus coquin... Pas mal, non... pour quelques coups de téléphone?

***

Le soleil se couchait derrière les montagnes, tandis que la Ferrari ronronnait à cent quarante à l'heure sur la route s'étirant à perte de vue à travers le désert. Le ciel s'assombrissait, et les étoiles sortaient lentement du néant dans lequel le jour les avait rejetées.

Susanna Palmieri eut un frisson. L'immensité du ciel et celle du désert, quand elles se confondaient en cette heure entre chien et loup, l'intimidaient toujours. Elle se sentait alors minuscule et insignifiante.

Susanna avait presque abandonné tout espoir de voir Charlie Babbitt s'engager de quelque façon auprès d'elle. Il lui était comme une énigme enveloppée dans une devinette au beau milieu d'un puzzle. Ses sentiments étaient-ils pour elle aussi forts que les siens l'étaient pour lui? C'était là un sujet sur lequel il gardait un farouche silence. Il semblait à Susanna que Charlie Babbitt ne s'intéresserait jamais qu'à lui-même.

Cependant leurs étreintes balayaient cette impression. Charlie se montrait ardent, tendre. Ses caresses et ses baisers étaient passionnés, sincères. Susanna savait qu'il la trouvait belle, désirable. Les regards enflammés dont il la couvait parfois ne pouvaient la tromper.

Mais une fois qu'il avait remis son pantalon, Charlie Babbitt redevenait ce guetteur inlassable de la « chance à saisir », ce chasseur impénitent des faiblesses humaines dont il pourrait tirer profit. Quand les autres hommes rêvaient, Charlie Babbitt tirait des plans. Susanna l'aimait, mais elle n'était pas certaine de toujours l'estimer.

Elle demeura silencieuse durant les vingt premiers kilomètres, cherchant en vain à lire l'expression de Charlie. Les deux mains sur le volant, il regardait droit devant lui, perdu dans des pensées qu'il ne partagerait pas. Susanna n'ignorait pas que cette apparence tranquille cachait une sourde inquiétude. L'affaire qu'il avait montée prenait un cours qu'il n'avait pas prévu. Cela faisait peu de temps qu'ils étaient amants, mais Susanna avait appris à reconnaître certains signes.

– Je ne voudrais pas avoir l'air de mendier ton attention... mais tu ne pourrais pas me dire... disons, une dizaine de mots? finit-elle par demander. Enfin, avant qu'on arrive à l'hôtel.

Charlie lui jeta un regard qu'elle soutint sans ciller.

– Considère ça comme des préliminaires, ajouta-t-elle crûment.

Charlie apprécia d'un grand sourire. C'était tout de même quelqu'un, ce petit bout de femme qui n'avait peur de personne, pas même de Charlie Babbitt.

– Je suis content qu'on soit partis vendredi, répondit-il. Comme ça, tu auras trois jours pour me harceler.

– Écoute, dit Susanna, pragmatique, je sais bien que tu ne t'inquiètes pas pour si peu, mais appelle quand même pour savoir si tu as des messages...

– Parce que c'est à ça que je pensais? Charlie éclata d'un rire trop franc pour être tout à fait sincère.

– En tout cas, j'espère que ce n'est pas à une autre femme, répliqua Susanna en feignant de s'alarmer.

– Ou à trois autres femmes, dit Charlie.

– Elles t'ont peut-être appelé. Susanna composa le numéro du service des messages sur le téléphone de la voiture.

– Trois cent dix-neuf, j'écoute, répondit la voix de l'opératrice.

– Babbitt, s'identifia Charlie d'une voix sèche. Susanna le regarda, inquiète pour lui.

– Il y a eu deux appels d'un certain Bateman, dit la voix de l'opératrice. Vous voulez son numéro?

– Non, répondit Charlie sans regarder Susanna.

– Très bien, reprit la voix. Et il y a aussi... oh... L'opératrice semblait troublée... « Oh, merde », murmura-t-elle tout bas.

Charlie et Susanna échangèrent des regards perplexes.

– Il y a... euh... un appel de Mr Stephen Mooney. Il dit qu'il est le notaire de votre père. A Cincinnati. Et... votre père est décédé, monsieur.

Susanna eut un hoquet de stupeur. Charlie ne broncha ni ne dit mot. Il continua de regarder fixement la route devant lui.

– Les... les obsèques auront lieu dimanche, poursuivit l'opératrice avec gêne. Mr Mooney dit qu'il a eu du mal à vous joindre. J'ai... son numéro...

Mais Charlie avait raccroché. Il maintenait son cent quarante à l'heure, les yeux sur la ligne blanche, mais il se dégageait de lui une tension qui fit grimacer Susanna. Les yeux de la jeune femme se brouillèrent de larmes. Son père! Quelle terrible nouvelle!

– Oh, Charlie, murmura-t-elle. Ça va?

Il ne répondit pas mais souleva son pied de l'accélérateur. La voiture ralentit. L'instant d'après, il rangeait la Ferrari sur le bas-côté et coupait le moteur. Mais il continua de fixer l'horizon, enfermé dans le silence comme dans un caisson sensoriel.

Susanna tendit la main et lui toucha doucement l'épaule, dans le seul but de lui rappeler qu'elle était là, avec lui.

Il se tourna vers elle.

– Désolé pour le week-end, chérie.

Le « week-end »? La réponse de Charlie lui parut tellement incongrue que Susanna n'en crut pas ses oreilles.

– Charlie... Elle chercha son regard, mais Charlie détourna les yeux.

– Tu sais, dit-il d'une voix basse, mon père et moi, nous... nous nous haïssions...

Mais ce n'était pas de la haine que Susanna percevait dans la voix de Charlie. C'était de la douleur. Ayant mal pour lui, mal avec lui, elle lui caressa doucement les cheveux dans un geste de mère tentant de consoler son enfant.

– Ma mère est morte quand j'avais deux ans... et je suis resté seul avec lui.

Susanna se mordit la lèvre.

– Il te battait?

Charlie sembla hésiter puis lâcha d'une voix sourde qui charriait un profond ressentiment :

– Oui, à l'intérieur... Tout ce que je pouvais faire... ça n'était jamais assez bien pour lui. Une seule mauvaise note, et toutes les bonnes étaient oubliées... Il eut un sourire amer... Tu sais, j'avais des aptitudes...

Ils restèrent silencieux pendant un moment, chacun d'eux absorbé dans ses propres pensées.

– Je viens avec toi, dit soudain Susanna.

Charlie secoua la tête.

– C'est gentil de ta part, dit-il en lui souriant, mais ce n'est pas la peine.

– J'y tiens, Charlie, insista Susanna.

Mais Charlie continua de secouer la tête d'un air obstiné.

– Non, ne t'impose pas cette corvée, dit-il sèchement.

Blessée, Susanna s'écarta de lui. De nouveau Charlie faisait d'elle une étrangère, la repoussait à la périphérie de sa vie.

Mais à présent que Susanna avait retiré sa main, Charlie éprouvait comme un vide immense. Vulnérable, seul, il se pencha vers elle.

– Pardonne-moi, murmura-t-il, j'ai encore oublié à qui je parlais.

Elle attira sa tête contre sa poitrine et posa sa joue sur ses cheveux. Malgré la tristesse du moment, elle ressentait une joie qui lui faisait battre le cœur. Charlie avait besoin d'elle.

Chapitre 2

Pendant le trajet du retour à L.A., Charlie se montra d'humeur maussade, mais Susanna y vit une réaction naturelle à l'annonce brutale de la mort de son père. Alors qu'ils filaient vers l'ouest, il lui décrivit le programme en quelques phrases concises et hachées comme un télégramme. Il la déposerait à son appartement pour qu'elle y prépare ses affaires, lui emprunterait sa Volvo pour passer chez lui prendre un costume sombre. Avec tous ces chiens de créanciers lancés à ses trousses, il rechignait à se montrer dans sa Ferrari et même de s'attarder chez lui. Aussi reviendrait-il aussitôt chez Susanna pour retenir de chez elle places d'avion et chambre d'hôtel. Ils passeraient la nuit du vendredi chez la jeune femme, partiraient tôt le matin pour l'aéroport, de façon à être dans la soirée à Cincinnati, ne séjourneraient qu'une nuit à l'hôtel, se rendraient aux obsèques et regagneraient aussitôt après Los Angeles. Quant au week-end à Palm Springs, ce n'était que partie remise, promit-il.

Susanna avait déjà bouclé son sac de voyage quand Charlie revint de chez lui. Il téléphona immédiatement à la compagnie aérienne, sa carte d'American Express à la main, retint deux places en première classe, puis appela l'hôtel Broadham à Cincinnati et réserva une chambre à deux lits.

– Non, juste pour demain soir. Nous partirons dimanche matin.

***

Sitôt que l'avion eut décollé, Charlie descendit deux Chivas sans traîner entre chaque verre, se tourna sur son siège, le visage vers le hublot, et s'endormit. Restée seule, Susanna grignota quelques toasts au caviar en sirotant un champagne éventé dont la platitude trouvait un triste écho en elle-même : tout son pétillant s'était envolé. Une fois de plus, Charlie Babbitt se comportait comme s'il était seul.

Charlie ne se réveilla pas quand arriva le service du repas. Susanna décida de ne pas le réveiller. Il devait être épuisé par cette succession d'événements. Résignée à sa solitude, elle mangea du bout des lèvres un peu de langouste en salade et chipota un blanc de poulet.

Charlie choisit de se réveiller au moment où l'appareil amorçait sa descente. Bien entendu, il était affamé. Quand l'hôtesse, une rousse pulpeuse, lui eut expliqué d'un air navré que la cuisine était bouclée et tous les plateaux arrimés en vue de l'atterrissage, Charlie lui décocha son sourire numéro un – le Redoutable – et hasarda d'une voix suave comme une caresse :

– Oh, je suis désolé de vous causer tout ce tracas, mais je n'ai rien mangé de la journée et je meurs li-té-ral-le-ment de faim...

Six minutes plus tard, l'hôtesse était de retour avec un plateau chargé d'une salade de crevettes, d'un filet mignon garni de champignons (moi, je n'ai pas eu le droit au filet mignon, remarqua Susanna, furax), des pommes de terre duchesse, une salade verte, un parfait au chocolat, un café odorant et fumant, et un joli verre ballon rempli d'un Cognac ambré.

– Est-ce que... ça ira? demanda-t-elle, le souffle court.

Cette fois le Redoutable se répandit lentement sur le visage de Charlie jusqu'à ce qu'il vienne danser dans ses yeux verts de chat.

– Vous me sauvez, la vie, ronronna-t-il. Je ne sais vraiment pas comment vous remercier.

Tu parles, pensa Susanna en le regardant attaquer son repas d'une mandibule enthousiaste. *Tu parles!*

***

Le choix de l'hôtel fut la première surprise de Susanna.

Le Broadham était un grand et bel établissement, mais fort ancien. Il se dégageait une touchante dignité de ses vieux marbres craquelés et des lustres de cristal, une élégance surannée bien éloignée de cette efficace modernité qu'affectait Charlie Babbitt, attiré d'ordinaire par un luxe plus tapageur.

Le temps qu'on leur donne leur clé et qu'on les guide jusqu'à leur chambre, la fatigue du voyage s'abattit sur Susanna. Elle n'avait plus qu'une envie : dormir. La journée du lendemain ne s'annonçait pas particulièrement légère, et celle qui venait de passer ne ferait pas partie de ses meilleurs souvenirs. Les pâtisseries 1900 craquelaient au plafond, d'épais voilages doublées de lourds velours retenus par des embrasses masquaient les fenêtres, les deux lits trônaient, parés de dessus damassés. Susanna prit un long bain dans la grande baignoire ancienne, se glissa sous les draps frais et s'endormit l'instant d'après.

Sur le lit voisin Charlie resta longtemps éveillé, à fumer dans le noir cigarette sur cigarette.

***

Le lendemain matin Susanna eut une deuxième surprise. Alors qu'elle sortait de la salle de bains dans un modeste tailleur noir, elle trouva Charlie nouant une sobre cravate devant la glace au-dessus de la cheminée. Il lui parut... autre. Elle chercha ce qui était la cause de cette différence.

Elle ne lui avait jamais vu ce costume. Sa coupe classique, les fines rayures sombres avaient métamorphosé le sapeur fringant en un jeune Bostonien dont la sobriété et la probité n'auraient pu souffrir le moindre doute. Jamais marchand de voitures d'occasion à Hollywood n'avait eu telle allure. Ce ne fut qu'en le voyant chausser ses éternelles lunettes noires que Susanna retrouva un peu du Charlie Babbitt qu'elle connaissait.

Mais le plus étrange dans cette métamorphose, c'était le naturel avec lequel Charlie portait ce costume. Cela ne semblait pas être un jeu ni une facette supplémentaire d'une personnalité multiple. Non, décidément, il ne jouait pas.

La voiture qu'il avait louée attendait devant l'hôtel. Une belle Lincoln noire, tout à fait de circonstance. Encore une surprise, bien qu'à la réflexion Susanna ne s'attendît pas à voir Charlie se rendre au cimetière au volant d'une Cadillac rouge décapotable.

Ils demeurèrent silencieux tandis qu'ils traversaient Cincinnati. Le béton, la brique et l'acier le cédèrent bientôt aux pelouses, aux arbres et à de petits pavillons qui se ressemblaient tous. Puis ils pénétrèrent dans une zone résidentielle où de hautes clôtures protégeaient des regards indiscrets de vastes demeures jusqu'à ce qu'ils franchissent le portique de pierre d'un vieux cimetière. Memorial Park, bâti en 1835, était une véritable nécropole de carte postale avec ses pelouses vallonnées ombragées de cyprès et de saules, peuplées des dépouilles de notables et de gens fortunés attendant dans de beaux tombeaux et sous des marbres blanchis le Jugement Dernier.

Au sommet d'un tertre, en un lieu particulièrement verdoyant du parc, une douzaine de silhouettes noires aux têtes chenues étaient rassemblées autour d'une tombe béante. Hors le bleu du ciel de ce dimanche estival, la seule touche de couleur de ce tableau funèbre appartenait à la robe violette du prêtre de l'Église épiscopale et au rouge ardent d'une énorme couronne de roses sur laquelle brillait en lettres dorées un simple : « Sanford Babbitt. »

Comme Charlie descendait de voiture, lissant les plis de son costume, les regards du petit groupe se tournèrent vers lui.

– On dirait que tu es attendu, dit doucement Susanna.

Charlie releva la tête, redressa les épaules et, enfermé dans son silence, monta d'un pas lent vers le tertre. Susanna le suivit à quelque distance. Ils rejoignirent la petite assemblée pour écouter le service funèbre. Ils ne participèrent ni aux réponses ni aux antiennes, mais Susanna ne put se retenir de se signer quand le prêtre prononça : « Je suis la Résurrection et la Vie. » La réaction était héréditaire.

Le service fut court, sobre comme les costumes des endeuillés. Charlie jeta une poignée de terre sur le riche cercueil serti de bronze sans ciller ni verser la moindre larme. Sur son discret signe de tête, Susanna regagna lentement la voiture, tandis que Charlie allait serrer la main de l'un des hommes présents. Ce devait être Stephen Mooney, le notaire de Mr Babbitt. Elle ne pouvait entendre ce qu'ils se disaient, mais elle vit Mooney sortir un jeu de clés de sa poche et le donner à Charlie, qui les glissa dans la pochette de son veston.

Charlie redescendit de la petite colline sans un regard derrière lui. Il s'installa au volant et dit seulement :

– Changement de programme. Nous allons rester une nuit de plus à Cincinnati. Il y a quelque chose que je dois faire avant de repartir.

– Où allons-nous? demanda Susanna alors que Charlie démarrait le moteur.

– Tu verras, quand nous arriverons.

– Arriver où? insista-t-elle.

– A East Walnut Hills.

Walnut Hills est un quartier de Cincinnati où il y a peu de circulation et encore moins de passants. Les demeures y sont imposantes. Chacune d'elles trône au milieu d'un parc s'étendant rarement sur moins d'un hectare. Les voisins ne bavardent par-dessus les clôtures et ne débarquent pas dans votre cuisine s'ils sont à court de glaçons ou d'une gousse d'ail. C'est un endroit où le mot « argent » se chuchote, car il serait tellement malséant de le crier.

– Et voilà, home sweet home, dit Charlie, sarcastique, lorsque, quelque temps plus tard, il arrêta la voiture devant l'impressionnante entrée à pilastres du manoir de Sanford Babbitt, le foyer où Charlie avait grandi et qu'à peine adolescent il avait fui.

Il descendit de la Lincoln et porta leurs valises jusqu'à la porte.

– Je... je ne me doutais pas que tu venais d'un milieu... comme ça, balbutia Susanna, décontenancée par la découverte d'un Charlie Babbitt qu'elle aurait été bien en peine d'imaginer.

– Merci, dit Charlie.

– Ce n'est pas ce que je voulais dire.

Mais Charlie n'écoutait déjà plus. Il avait posé les valises pour s'éloigner en direction de deux automobiles rangées côte à côte sous la porte cochère qui menait au garage. La carrosserie marron et crème de la Rolls-Royce étincelait, mais ce n'était pas elle que Charlie fixait du regard.

C'était une Buick Roadmaster décapotable de 1949, le dernier grand cru de la marque. Peinte d'un riche ivoire, elle brillait d'un feu que des années de maniaque et fidèle entretien avaient su préserver. Tout en elle était parfait, depuis les chromes ne présentant pas la moindre moucheture jusqu'au cuir rouge des sièges en passant par la calandre en dents de sabre et au pare-brise légèrement incliné. Pas de doute, c'était une beauté rare, et le visage de Charlie exprimait l'admiration.

La vision de la Rolls à deux teintes stupéfia Susanna.

– Ton père était agent de change?

– Financier, répondit Charlie sans quitter des yeux la Buick. Ils s'habillent mieux. Il passa une main appréciative sur le capot.

Susanna détourna son attention de la Rolls-Royce pour s'intéresser à la Buick.

– C'est vrai qu'elle est belle, dit-elle.

– Je la connais depuis longtemps, dit doucement Charlie. Je ne l'ai conduite qu'une seule fois, ajouta-t-il d'une voix qui arracha Susanna à sa contemplation. Elle le regarda, mais il détourna les yeux.

Il y avait non loin un vaste parterre de fleurs ceint d'une bordure de pierres. Uniquement des roses, et des plus belles. Susanna, qui aimait les fleurs, remarqua la rareté de certaines des variétés. Mais la terre était sèche, et les délicats pétales se flétrissaient.

– Il faudrait les arroser, dit-elle. Elles sont en train de mourir.

Charlie jeta un regard chargé de ressentiment envers les rosiers.

– Te tracasse pas pour ça, dit-il sèchement.

Nouvelle surprise. Que pouvait-il bien avoir contre des fleurs?

Susanna suivit Charlie jusqu'à la grande porte d'entrée en chêne massif et attendit qu'il ouvrît avec les clés que lui avait remises Mooney. Elle poussa un sifflement admiratif en découvrant la vaste réception au fond de laquelle s'élevait un grand escalier. De chaque côté du hall deux gigantesques miroirs en vis-à-vis renvoyaient à l'infini leurs images. La maison était déserte. C'était dimanche, et la domesticité avait reçu quartier libre en souvenir de Sanford Babbitt.

Charlie poussa la porte du salon. Une odeur de cire et de renfermé les accueillit. La pièce était de nobles dimensions. Le sol dallé était recouvert de tapis précieux et les bois patinés d'un mobilier antique luisaient sous l'éclairage des lustres de cristal.

Dans leurs lourds cadres dorés, les toiles accrochées aux murs témoignaient des talents sans originalité de peintres académiques, mais l'ensemble donnait une impression de grande opulence et de sévérité à la fois. On imaginait mal que l'on éclatât de rire sous ces lustres, que l'on élevât la voix, que ce fût par colère ou passion. C'était un cadre pour de conformistes réceptions, où il n'y avait pas de place pour les émotions. Pourtant, des émotions il y en avait eu, et de terribles.

Charlie Babbitt resta sur le seuil pendant un long moment, scrutant chaque recoin de la pièce. Son expression impénétrable força Susanna à demander :

– Qu'y a-t-il?

Il lui répondit sans la regarder, comme s'il s'adressait davantage à lui-même qu'à la jeune femme :

– Quand je lui ai annoncé que je partais... je me tenais... ici. Lui... était là-bas, dans ce fauteuil... Il secoua la tête, chassant ses souvenirs et, prenant Susanna par la main, il l'entraîna dans la maison. Il lui fit visiter toutes les pièces – les deux grandes cuisines, la salle à manger avec ses murs lambrissés et ses lourds chandeliers sur une longue table pouvant accueillir plus de vingt convives, l'impressionnante bibliothèque dont les rayonnages chargés d'ouvrages aux riches reliures couvraient les murs jusqu'au plafond, les innombrables chambres au premier étage avec leurs cheminées de marbre et leurs lits à baldaquins.

Mais celle que préféra Susanna était l'ancienne chambre d'enfant de Charlie, au deuxième étage. C'était une chambre de garçon, comme on n'en voit qu'au cinéma. Cosy-corner, trophées de base-ball accrochés aux murs, maquettes d'avion suspendues au plafond, panier rempli de jouets et ours en peluche. Tout avait été laissé tel qu'en ce jour funeste où Charlie avait quitté le foyer; même ses vêtements sales étaient restés empilés dans un coin du placard.

Il était difficile à Susanna d'associer le Charlie qu'elle

connaissait, assez frimeur, un peu voyou, à cet univers d'enfant de bonne famille, à ces livres de jeunesse, tels que *L'Ile au trésor* ou *Ivanhoé*, serrés sur les étagères de sa chambre. Difficile mais charmant, touchant. Là gisait une facette de Charlie Babbitt que personne à Los Angeles ne soupçonnait.

Curieuse d'en savoir plus, Susanna exhuma de l'armoire de vieux cartons remplis de souvenirs dont elle entreprit aussitôt une investigation passionnée. Il y avait là des albums de photos, de vieux disques. C'était drôle de parcourir ainsi le passé de son amant. Elle leva les yeux vers lui. Il l'observait en souriant tendrement.

– Tu souris?

– Pour une fouineuse, tu as de jolies oreilles, dit-il.

– Je suis pas une fouineuse. Ça... ça m'intéresse, c'est tout. Tu étais son seul enfant. Il avait quel âge à ta naissance? Quarante-cinq? Il pensait probablement qu'il n'aurait jamais d'héritier... Susanna se mordit la lèvre, hésitante puis reprit :

– Il devait t'aimer...

Charlie se pencha au-dessus d'elle et se mit à lui caresser le lobe d'une oreille.

– Alors pourquoi te haïssait-il? demanda-t-elle abruptement.

– Une oreille toute rose... et un peu pointue... juste ici... Un coup de langue suivit la caresse de son doigt, et Susanna comprit ce que voulait Charlie. Il n'avait pas envie de parler de son père et de leur relation. Il avait envie d'ôter ce costume de deuil, envie de faire l'amour avec elle, là, dans la chambre de son enfance, pour que le fantôme du petit garçon qu'il avait été pût voir l'homme qu'il était devenu.

Et, soudain, Susanna éprouva le même désir.

***

Un peu plus tard, Susanna enfila un vieux sweat-shirt et un jeans ayant appartenu à Charlie. Celui-ci, désormais trop grand pour ses vêtements d'adolescent, se contenta du pantalon de son costume à rayures, et ils repartirent tous deux à l'exploration de la grande bâtisse. Ils trouvèrent dans le congélateur de la cuisine de quoi se restaurer : langouste, crabe, crème glacée à la vanille. Ils étaient comme deux enfants lâchés dans la plus belle maison de jouets du monde.

Quand ils eurent exploré les étages inférieurs, ils montèrent au grenier. C'était là, dans ce vaste espace poussiéreux mais pourvu d'un bon éclairage, que l'histoire de la famille gisait enfermée dans de grosses malles remplies de toutes sortes de souvenirs. Il s'y trouvait pas mal d'objets ayant jalonné la vie de Charlie : une chaise de bébé, dont curieusement il avait du mal à se souvenir, des cartons de jouets, des livres de classe.

Ils s'assirent à même le sol pour feuilleter ensemble de vieux magazines, éprouvant une intimité et une complicité comme ils n'en avaient encore jamais connu.

– Tu sais, cette Buick décapotable... dit soudain Charlie.

Susanna hocha la tête, sentant poindre une importante confession.

– C'était son chouchou, sa folie, avec ces saletés de roses... Il y avait de l'amertume dans sa voix... J'avais pas le droit d'y toucher, à sa Buick. « C'est une œuvre d'art », disait-il. « Elle exige du respect. Elle n'est pas faite pour les enfants... »

Susanna avait l'impression d'entendre la voix même du vieux Sanford Babbitt.

– J'étais en terminale... j'avais seize ans... Je suis revenu avec un bulletin semestriel où il n'y avait pas une seule note en dessous de huit sur dix... Difficile de faire mieux...

Susanna haussa un sourcil admiratif.

– Ça t'en bouche un coin? dit-il.

– Oui, je n'ai jamais pu faire aussi bien... et pourtant, j'étais une bûcheuse.

– Ah bon? Ce fut à son tour de feindre la surprise.

Ils partirent à rire, puis il reprit :

– Alors je suis allé trouver mon père pour lui montrer mes notes. « J'peux prendre la Buick, papa? » Pour moi, c'était la plus belle récompense que je pouvais avoir. Il a refusé. Mais je lui ai barboté les clés et j'ai quand même pris sa précieuse Buick!

– Pourquoi as-tu fait ça?

– Parce que je le méritais! répondit Charlie d'une voix

vibrante. J'avais remarquablement travaillé, comme il le reconnaissait lui-même mais... Charlie baissa le ton... probablement pas assez pour avoir le droit de faire un tour dans sa voiture.

Charlie Babbitt avait déjà une conception particulière de la morale, pensa tristement Susanna tout en continuant d'écouter Charlie avec une grande attention.

– J'étais avec trois copains. On roulait dans Colombia Parkway quand on s'est fait arrêter par une voiture de police. Il avait signalé aux flics le vol de sa voiture. Le vol, tu entends? Pas que son fils l'avait empruntée sans sa permission, non. Qu'il l'avait volée! Le visage de Charlie s'assombrit à ce souvenir. On s'est tous retrouvés au poste. Les pères de mes copains les ont fait sortir sous caution une heure après. Mais lui, il m'a laissé là pendant deux jours...

– Bon Dieu! murmura Susanna, choquée.

– J'étais au milieu de barjots et d'ivrognes qui dégueulaient dans tous les coins de la cellule... Il frissonna au rappel de ces quarante-huit heures de prison... C'est la seule fois de ma vie où j'ai eu peur à me pisser dessus... J'avais du mal à respirer... Quand je suis rentré à la maison, j'ai pris quelques affaires, et je suis parti. Je ne suis jamais revenu.

Et voilà, c'était là le fond de l'histoire d'un garçon qui avait fui un père trop dominateur, trop sévère, jamais satisfait des résultats de son fils, aussi bons fussent-ils. Charlie avait passé sa vie à tenter de prouver à son père qu'il était pourtant capable de réussir. Mais il était trop tard, à présent. Son père ne pourrait jamais plus reconnaître ses succès ni juger ses échecs. Son père ne serait jamais fier de lui.

Charlie sourit à Susanna. *Qu'est-ce que ça peut foutre?* disait ce sourire, mais la douleur intérieure était telle qu'il ne pouvait supporter l'amour et la tendresse qu'il lisait sur le visage de la jeune femme. Il se sentait trop vulnérable. Il détourna les yeux et se leva en jetant un coup d'œil autour de lui.

– Regarde-moi toutes ces merdes, dit-il en secouant la tête avec un mélange d'amusement et de dégoût. Des chapeaux de cow-boy, des trains électriques... Viens, on va refaire une razzia dans le frigo. J'ai encore faim. Il donna la main à Susanna et l'aida à se relever.

Alors qu'ils se dirigeaient vers la porte du grenier, quelque chose attira l'œil de Charlie. Il s'arrêta pour regarder en direction d'un carton. Quelque part du fond de sa mémoire monta un souvenir... un fragment de musique... une chanson des Beatles qui flotta dans les limbes du passé puis se dissipa aussi mystérieusement qu'elle était apparue.

– Bon Dieu, marmonna-t-il en se penchant vers le carton. Il en tira une couverture d'enfant. Blanchie et râpée par des dizaines de lavages. Il la froissa doucement dans ses mains.

– C'était à toi? demanda Susanna.

Mais Charlie ne répondit pas, continuant d'examiner la couverture comme si elle était la carte du trésor de son passé. Il en caressa le tissu élimé, le porta à son nez pour le sentir, perdu dans une rêverie.

– Charlie... murmura Susanna.

Le charme se rompit.

– Bon Dieu, il m'est revenu un étrange souvenir. Tu sais, quand on est petit... On s'invente une espèce d'ami, de protecteur, une figure magique...

Susanna hocha la tête. Son « amie », sa protectrice, c'était la Sainte Vierge. Enfant, c'était à elle qu'elle confiait ses secrets, lui parlant aussi familièrement que si elle avait été dans sa chambre avec elle.

– Mon protecteur s'appelait... merde, comment il s'appelait? Charlie fronça les sourcils, fouillant dans ses souvenirs. Rain Man! Comme dans la chanson des Beatles. Quand j'avais peur ou que j'allais mal, je m'enveloppais dans cette couvrante, et Rain Man venait me chanter une chanson... Il sourit... Maintenant que j'y pense, je devais être drôlement trouillard à ce moment-là, parce que je l'appelais souvent... Mon bonhomme de pluie... Ah, c'était il y a si longtemps...

– Et ton ami? Ce Rain Man, quand est-ce qu'il a disparu? demanda Susanna, émue.

Charlie secoua la tête d'un air perplexe.

– Je ne sais plus, dit-il. J'ai dû grandir, je suppose. Il tripota la couverture pendant un moment encore puis la balança dans le carton, fermant définitivement la porte sur l'un de ses plus anciens souvenirs.

– Allons manger.

***

Dans la soirée, pendant que Susanna, installée dans la chambre de Charlie, feuilletait un album de photos de famille, Charlie Babbitt recevait dans le salon le notaire de son père, Stephen Mooney, venu lui communiquer le testament de Sanford Babbitt. Charlie, unique héritier apparent d'un patrimoine considérable, écoutait avec intensité Mooney. Or, ce qu'il avait entendu jusqu'ici ne lui plaisait pas. Pourquoi le notaire ne lui disait-il pas tout simplement : « Tout est à vous, mon garçon! » Hélas, ces mots n'avaient pas encore franchi ses lèvres.

Cependant Charlie gardait son calme. Dans ce jeu de poker qu'est la vie, vous ne montrez pas vos cartes tant que les autres n'ont pas payé pour les voir.

– Nous en viendrons à la lecture du testament proprement dit dans un moment, dit Mooney. Je dois d'abord vous donner connaissance d'une lettre que votre père m'a chargé de vous lire. Avez-vous une objection? (Stephen Mooney jeta un regard à Charlie par-dessus ses lunettes.)

– Non, pourquoi en aurais-je? répondit Charlie avec un haussement d'épaules.

Dieu merci, c'était une lettre, et non ces lugubres cassettes-vidéo que certains défunts se plaisaient depuis peu, en cette époque médiatisée jusqu'à la tombe, à laisser à ceux qui étaient encore de ce monde. Au moins n'aurait-il pas à regarder son père. Il lui suffirait d'écouter. Et c'était déjà bien assez pénible comme ça.

Mooney opina du bonnet, puis sortit de sa serviette une enveloppe cachetée qu'il ouvrit d'une main experte. Il en tira deux feuillets d'un papier vélin et les déplia soigneusement. Charlie reconnut le papier à en-tête de son père.

– « A mon fils, Charles Babbitt.

« Cher Charles, commença de lire le notaire d'une voix qui se voulait neutre. J'ai aujourd'hui soixante-dix ans. Je suis un vieil homme, mais je me souviens parfaitement du jour où ta mère et toi êtes revenus de la maternité. Tu étais un beau bébé, plein de vie et de promesses.

Charlie grimaça au mot « promesses ». Avec « aptitudes », c'était l'un des mots favoris de son père.

– « Et je me souviens tout aussi parfaitement du jour

où tu as quitté le foyer familial, avec tant d'amertume, de suffisance et de prétention...

Le notaire interrompit sa lecture pour regarder Charlie, mais ce dernier affichait l'air impénétrable d'un joueur tenant un poker d'as.

– « Je peux te comprendre et te pardonner d'avoir rejeté la vie que je t'offrais. Le collège et tous ces avantages que les autres jeunes gens accueillent avec enthousiasme...

– Il me semble entendre sa voix, fit soudain remarquer Charlie.

– « L'absence d'une mère, poursuivit Mooney sans lever les yeux de la lettre, peut expliquer la dureté de ton cœur. Je te pardonne également ton refus de m'accorder ton affection et ton respect. Mais ton silence, cet entêtement à ne plus jamais me donner de nouvelles de toi m'a laissé orphelin de mon enfant. Je te souhaite d'avoir tout ce que j'avais voulu que tu aies. Je te souhaite de réaliser tes vœux. »

Stephen Mooney, sa lecture achevée, replia la lettre avec le même soin apporté pour l'ouvrir et la rangea dans l'enveloppe. Le vieux notaire semblait ému par la lettre qu'il venait de lire. Il se racla doucement la gorge, mais Charlie resta muet. Il attendait patiemment qu'on en vienne au testament.

Et le notaire y vint. Le document contenait plusieurs pages. Sans un regard vers Charlie il en commença la lecture.

– « A Charles Sanford Babbitt, je lègue une certaine Buick décapotable qui, comme lui-même, entra dans ma vie en 1962. Elle m'a servi fidèlement depuis. Puisse-t-elle lui apporter un agréable souvenir de moi. Je lui lègue encore les prix remportés par mes rosiers. Puissent-ils lui rappeler la valeur de la patience et la possibilité de la perfection.

Le malaise que Charlie ressentait depuis un moment commença à prendre une forme aiguë. Son instinct lui prédisait la catastrophe.

– « Quant à mes biens, mobiliers, immobiliers et autres, ils seront placés sous fidéicommis, selon les termes du document ci-joint. »

Mooney leva la tête. La lecture du testament était terminée. Il commença à replier les feuillets.

« Fidéicommis? » « Document ci-joint? » Qu'est-ce que c'était, cette histoire? s'interrogea Charlie.

– Euh... pourriez-vous m'expliquer ce que signifie la dernière partie? demanda-t-il du ton le plus égal possible.

– Cela veut dire que le patrimoine... qui se monte à plus de trois millions de dollars, frais de succession déduits... est placé sous tutelle au profit d'une bénéficiaire anonyme.

– Et qui est-ce? Malgré une tension qui commençait à lui raidir la nuque et les épaules, Charlie s'efforçait de rester calme. Inutile de braquer le notaire avant d'avoir obtenu de lui ce qu'il avait besoin de savoir.

Stephen Mooney rangea les papiers dans sa serviette.

– Comme je vous l'ai dit, il s'agit d'un bénéficiaire anonyme. Je ne peux vous répondre à ce sujet, dit Mooney, qui considérait sa tâche comme terminée.

– Et qui a la garde de l'argent? Vous?

Mooney secoua la tête.

– Non, ce n'est pas moi. Et je n'ai pas le droit de vous révéler le nom de cette personne.

Il se leva et prit son chapeau.

– Dites-moi... dites-moi comment tout ça fonctionne, insista Charlie. Il pouvait entendre, dans la froide réalité des paroles du notaire, une porte de fer se refermer devant lui, le laissant dehors dans la froidure.

– Pardonnez-moi, dit Mooney en secouant la tête avec obstination, mais je ne peux pas vous en dire plus.

Charlie le regarda se diriger vers la porte. Parvenu sur le seuil, le notaire se retourna et lui dit :

– Je suis désolé, mon garçon. Je vois bien que vous êtes déçu, mais...

– Déçu! s'exclama Charlie en bondissant de son fauteuil. Pourquoi serais-je déçu? hurla-t-il. J'hérite d'une voiture d'occasion, non? Et les rosiers? Vous oubliez les rosiers?

L'explosion fit grimacer le notaire. Le vieil homme recula d'un pas, mais Charlie, emporté dans sa fureur, poursuivit :

– Un... comment vous appelez ça... un bienfaiteur anonyme...?

– Un bénéficiaire, rectifia Mooney.

– Bref, un inconnu empoche plus de trois millions de

dollars, mais pas de rosiers pour lui! Non, les roses sont pour le fils unique! Ces saloperies de roses!

– Charles...

– Merde! gueula Charlie, trop révolté pour entendre raison. Il me BAISE depuis sa tombe, le vieux salaud! Depuis la tombe! Oui, Mr. Mooney, il est là-bas, le cul en enfer, et il se marre!

Charlie se tut, hors d'haleine. Il secouait la tête avec une telle violence que Mooney le regarda avec inquiétude.

– Non, mais vous avez entendu ce qu'il y a dans cette lettre? gronda-t-il. Vous l'avez entendu? Charlie serrait les poings, le souffle court.

– Oui, monsieur, répliqua Stephen Mooney en le regardant dans les yeux. Pas vous?

***

Quand le notaire fut parti, Charlie arpenta le salon comme un fauve en cage puis il se précipita dehors. Il avait besoin de respirer. Il étouffait littéralement de frustration, d'indignation et d'un terrible sentiment de solitude et de défaite. Il s'efforça de retrouver le contrôle de lui-même. Il avait l'impression d'avoir été battu, méchamment, et laissé pour mort.

Ces saloperies de roses! Charlie appréciait toute l'ironie de Sanford Babbitt. Le salopard avait davantage aimé ses fleurs que son propre fils. Charlie se souvenait de ces longs week-ends que son père passait à s'occuper de ses rosiers, au lieu d'emmener son garçon à un match de base-ball ou au cirque ou simplement le promener dans la Buick. Des soins, de l'affection, le financier n'en avait eus que pour ses buissons de roses. Oh, elles l'avaient bien récompensé, si on comptait le nombre de prix qu'il avait remportés dans les expositions florales!

Pas étonnant que Charlie Babbitt ait pris en haine ces roses! Et maintenant il sentait leurs piquants lui déchirer la chair, lui rappelant à chaque morsure cette perfection que son père avait cherchée en elles. Eh bien, elles n'avaient plus qu'à crever de soif!

Bénéficiaire anonyme. Les mots tournoyaient dans sa tête, bloquant toute pensée rationnelle. *Bénéficiaire anonyme.* Qui ça pouvait-il être? Qui lui dérobait plus de trois millions de dollars lui revenant de droit? Qui se moquait de lui, humble vendeur de voitures d'occasion, et qui semblait condamné à le rester. Non, ils n'allaient pas s'en tirer comme ça, le bénéficiaire anonyme et son père. Il devait y avoir un moyen de s'en sortir. Réfléchir, il devait réfléchir!

Il y avait quelque part quelqu'un – un homme? une femme? un enfant? – qui héritait d'une fortune... la sienne. Il lui fallait découvrir cette personne. Même Charlie Babbitt ne pouvait lutter contre quelqu'un qu'il ne pouvait voir. Et il devait faire vite, agir avant que les eaux se troublent d'avocats, de recours et d'embrouilles juridiques. Mais comment faire? Par où commencer?

***

Le temps que Susanna le retrouve en train de fumer une cigarette près du bassin vide de la piscine, Charlie avait retrouvé son calme et formé un squelette de plan.

– Je t'ai cherché partout, lui dit-elle, soucieuse. Comment ça s'est passé?

Il lui sourit de l'air le plus rassurant possible.

– Oh, j'ai eu ce qui me revenait, dit-il.

Chapitre 3

Charlie dormit d'un sommeil agité, se tournant et retournant dans le lit étroit, en proie à des rêves qui arrivaient par vagues. Dans certains, quelque chose le poursuivait; dans d'autres, il poursuivait quelque chose, sans jamais savoir de quoi il s'agissait ni si cela serait bon ou mauvais pour lui ni qui, de la chose ou lui, serait rattrapé.

Il était six heures du matin quand il rouvrit finalement les yeux, des lambeaux de rêve dans la tête. Assoiffé, désorienté, il se demanda un instant où il se trouvait. Puis il se rappela. Il était chez lui, dans son ancienne chambre. Dans la maison de son père, à Cincinnati. Et son père était décédé.

Il se remémora les événements de la veille : l'enterrement de son père, le testament. Ces saletés de roses et la revanche posthume de Sanford Babbitt. *Merde!* Il s'assit sur le bord du lit, fut pris d'une toux rauque de fumeur, qui ne l'empêcha pas d'allumer sa première Lucky de la journée. Derrière lui, Susanna remua, et il posa sur elle une main apaisante, l'invitant à continuer de dormir. Il avait besoin de rester seul à réfléchir pendant un moment. C'était probablement le jour le plus important de sa vie.

Vêtu de son seul caleçon, Charlie gagna sans bruit la cuisine et fit chauffer de l'eau pour son café. Il trouva dans le réfrigérateur une bouteille de jus d'orange à moitié pleine et étancha sa soif à même le goulot. Il alluma une autre cigarette et s'assit à la table de la cuisine pour élaborer son plan d'action.

Avant toute chose, il lui fallait découvrir l'identité de

celui qui avait la garde de son argent, puis celle du fameux « bénéficiaire anonyme ». Après quoi... il improviserait. Il avait confiance, il se présenterait bien une occasion.

On était lundi, lundi matin. Sept heures. Les banques ouvraient à neuf. Les domestiques seraient vraisemblablement ici à huit. Il n'avait pas de temps à perdre. Charlie prit une douche, se rasa, passa sur ses joues un after-shave trouvé dans l'armoire de toilette. L'after-shave de Sanford Babbitt. L'odeur de cigare en moins, il sentait comme son père, à présent. Il défroissa son costume sombre en le suspendant à la vapeur dégagé par l'eau bouillante, de la douche. Enfin, quand il fut habillé, il alla réveiller Susanna avec une tasse de café.

– Faut y aller, mon cœur. J'ai deux ou trois trucs à faire avant qu'on reparte.

***

Quand Charlie arrêta la Buick devant la banque Midwest, à Cincinnati, Susanna demanda, l'air perplexe :

– Qu'est-ce qu'on vient faire ici?

– Je n'en aurai pas pour longtemps, répondit Charlie, laconique. Attends-moi dans la voiture.

Il ne fallut pas plus d'une minute à Charlie pour repérer son pigeon parmi les employés de la banque. Elle officiait à l'un des guichets chargés des transactions particulières, tels que transferts de compte à compte, dont ne s'occupaient pas les caissiers. Plus très jeune, pas très jolie, elle dissimulait son handicap sous une épaisse couche de fard, au milieu de laquelle papillotaient des faux cils larges comme des ailes de papillon, et le casque fragile d'une chevelure blond cendré figée par cent jets de laque. Bref, elle présentait manifestement le tableau d'une vieille coquette en mal d'abordage.

Charlie aborda. Il fit donner « le Redoutable », enveloppa sa demande d'une suavité qui fit rougir la coquette et, cinq minutes plus tard, il ressortait de la banque avec le nom de l'homme nommé tuteur de l'héritage Babbitt, un certain Dr Walter Bruner. Et une adresse quelque part à la campagne, assortie de toutes les indications nécessaires pour s'y rendre.

Il avait beau être au volant d'une superbe Buick décapotable et rouler sur une belle route sous un bon soleil aux côtés d'une fort jolie femme, Charlie restait aveugle à toutes ces raisons de bonheur. Il ne pensait qu'à ce Walter Bruner et à ce qu'il allait bien pouvoir lui dire, pour le convaincre de lui restituer ce qu'il estimait être son bien. Les arguments défilaient dans sa tête au rythme des kilomètres avalés par la voiture.

Susanna, elle, était émue par la beauté du paysage verdoyant et vallonné.

– C'est superbe par ici, dit-elle. Tu y venais souvent?

– Non, c'est la première fois.

– Mais alors pourquoi sommes-nous...

Elle n'eut pas le temps de terminer sa phrase. Un coup de frein brutal la projeta en avant, et elle manqua de peu donner du crâne contre le pare-brise. Charlie, distrait par les questions de la jeune femme, venait de dépasser le chemin qu'il cherchait.

– Merde, marmonna-t-il en faisant marche arrière jusqu'à l'entrée d'une allée dissimulée en partie par la végétation. Un panneau cloué sur le tronc d'un arbre indiquait : VOIE PRIVÉE.

Ils s'engagèrent sur un chemin de terre bordé de chaque côté par des châtaigniers dont les frondaisons voûtaient au-dessus d'eux.

– Juste une petite démarche que je dois faire au sujet des biens de mon père, expliqua-t-il à Susanna d'une voix un peu trop dégagée. Ça ne sera pas long. Derrière ses lunettes de soleil, son regard était impénétrable.

Il conduisait lentement la Buick sur le chemin qui montait en tournant jusqu'à ce qu'au détour d'un virage apparaisse sur un plateau une grande et belle bâtisse blanche entourée de gazon et de massifs de fleurs parfaitement entretenus. Cela avait un air de bel hôtel ou de maison de maître.

Où sommes-nous? se demanda Susanna.

Ils passèrent devant une jolie mare où barbotaient des canards. Sur le bord du chemin, face à la mare, un homme vêtu d'un smoking peignait à un chevalet. Charlie ralentit et s'arrêta à sa hauteur.

– Je vous demande pardon, mais je suis bien à Wallbrook?

L'homme ne parut pas entendre. Il continua de peindre, ignorant la voiture et ses deux passagers.

– Excusez-moi, dit Charlie d'une voix plus forte.

Sans un mot l'homme se retourna brusquement, et Susanna eut un hoquet de stupeur. Même Charlie ouvrit de grands yeux. Le visage de l'homme, ses mains, son habit étaient couverts de taches de peinture de toutes couleurs. Et la toile posée sur le chevalet ne représentait pas la mare, ses fleurs et ses canards, mais un plâtras de peinture écrabouillée à la main. L'homme arborait un sourire béat, le regard plus vacant que le ciel infini au-dessus d'eux. Charlie considéra le peintre et son œuvre pendant un moment, puis redémarra en direction de la maison.

Une plaque de bronze scellée au mur à côté de la porte d'entrée indiquait :

MAISON DE REPOS WALLBROOK

Charlie descendit de voiture et, accompagné de Susanna, alla frapper à la porte. Une femme mûre, séduisante, à l'expression vive, vint leur ouvrir.

– J'aimerais voir le Dr Bruner, s'il vous plaît, dit Charlie.

La femme acquiesça d'un signe de tête et les invita à entrer dans un salon meublé avec goût. Une table basse était chargée de magazines luxueux. Une salle d'attente. Elle avait beau être garnie de meubles antiques et bibelots de prix, elle n'était qu'une salle d'attente de clinique, et une clinique qui, à en juger par le spécimen croisé sur le chemin, abritait de doux dérangés plutôt que des P-DG. surmenés.

– Le Dr Bruner est encore en réunion. Voulez-vous l'attendre ici?

Charlie accompagna son hochement de tête de son sourire numéro trois, celui du « Jeune Homme Poli ». La femme lui rendit son sourire et les laissa. L'instant d'après, Charlie bondissait de son fauteuil Louis XVI et, entrouvant la porte, risquait un coup d'oeil dans le couloir. Personne. Il se hasarda sur le seuil.

– Charlie, chuchota Susanna, nerveuse. Je ne pense pas qu'on ait le droit de...

– Alors reste ici, l'interrompit Charlie. Sur ce, il sortit dans le couloir. Susanna se hâta de le rejoindre. Elle n'avait aucune envie de se retrouver à attendre toute seule, dans le salon.

Passé le hall d'entrée, la maison prenait un aspect différent. Les meubles antiques et les tapisseries laissaient la place à un mobilier plus fonctionnel et les murs laqués verts rappelaient ceux de n'importe quel hôpital bien tenu. Avec Susanna accrochée à son bras, Charlie entreprit l'exploration des lieux.

Oui, Wallbrook était bien une clinique psychiatrique. Oh, pas pour des tueurs psychopathes, à en voir la paisible population rassemblée dans de coquettes salles de loisirs et de jeux. Certains regardaient la télévision sans paraître comprendre ce qui se déroulait sur l'écran, d'autres feuilletaient des livres d'images ou s'amusaient sur la moquette avec des jouets d'enfants. Tous, d'ailleurs, semblaient plus ou moins atteints d'une régression dans l'enfance. Une femme âgée serrait contre elle une poupée aussi vieille qu'elle, à qui elle murmurait des mots tendres. Chacun était isolé dans son propre monde, seul avec un délire impossible à partager.

Un personnel en uniforme veillait sur eux avec la patience qu'on a pour les jeunes enfants, les accompagnant aux toilettes ou essuyant leurs bouches maculées de chocolat ou de confiture. Point de cris ni d'agitation ni d'angoisse dans les regards. Les camisoles chimiques avaient depuis belle lurette remplacé les interventions musclées. Neuroleptiques et tranquillisants absorbés avec un peu de jus d'orange vous transformaient le plus violent des agités du bocal en une chiffe placide.

Les chambres privées, celles où les patients dormaient ou demeuraient quand ils n'étaient pas « conviviaux », présentaient cependant des spectacles moins paisibles. Charlie et Susanna en eurent un exemple en passant devant l'une de ces chambres. Un homme jeune était assis sur son lit, les bras ballants. Quand il aperçut Charlie et Susanna qui le regardaient par le guichet de verre de la porte, il se mit à se marteler la tête à coups de poings en roulant de grands yeux.

– Je t'en prie, Charlie, supplia Susanna, retournons à la salle d'attente.

Mais Charlie voulait tout voir de l'endroit où Sanford Babbitt avait planqué ses millions. A LA MAISON DE

REPOS WALLBROOK! Un établissement pour malades mentaux! Pour les survoltés des synaspes! Une maison pour fêlés argentés! *Merde*, ce serait plus difficile qu'il ne l'avait pensé. Il allait avoir contre lui une institution, qui devait être armée jusqu'aux dents pour repousser les plaignants. Décidément, la partie s'annonçait rude. Il était inutile de poursuivre son exploration des lieux. Il en avait assez vu. Il prit Susanna par la main, et ils rebroussèrent chemin.

Quand le Dr Bruner fut prêt à le recevoir, Charlie chaussa ses lunettes noires et redressa les épaules. A chaque fois qu'il traitait une affaire, Charlie dissimulait son regard derrière les verres sombres, frustrant son adversaire du moindre indice. *Du calme, Charlie,* se dit-il. *Du calme. Pas de mouvements brusques et attention à ce que tu diras. Ces gens-là ne sont pas tes amis.*

Le bureau du psychiatre était un modèle de luxe et de bon goût. De grandes fenêtres à imposte donnaient sur le jardin. Le parquet de chêne ciré luisait doucement dans la lumière estivale. Une magnifique bibliothèque aux ouvrages reliés de cuir pesait de toute la science qu'elle contenait. Le docteur était assis dans un fauteuil en cuir pivotant derrière un massif bureau victorien.

Charlie jaugea attentivement son adversaire. Le Dr Bruner était un solide quinquagénaire à la chevelure grisonnante épaisse comme une crinière de lion. Il avait un visage plein et agréable, et les yeux derrière ses lunettes cerclées d'écaille brillaient d'intelligence. Il avait déjà deviné ce qui amenait Charlie Babbitt chez lui, mais il le laissa présenter lui-même sa requête.

Charlie Babbitt voulait le nom du bénéficiaire anonyme. Il alla droit au but et pria poliment le docteur de le lui indiquer.

– Je suis désolé, fut la réponse, identique à celle du notaire. Je n'ai pas le pouvoir de vous le dire.

Charlie sentit la colère gronder de nouveau en lui, mais il s'efforça de maintenir une apparence de calme et de courtoisie.

– Mais pourquoi tous ces secrets, docteur? demanda-t-il d'une voix suave. Il se leva de son fauteuil et alla se planter devant la fenêtre. Serait-ce un de vos patients? reprit-il. Peut-être une ancienne amie de mon père... quelqu'un avec qui il aurait eu jadis une liaison...

De l'endroit où il se tenait, il pouvait voir Susanna, qui l'attendait dans la Buick, la tête renversée sur le dossier, s'abandonnant au soleil. Un homme de petite taille, portant un sac à dos, se dirigeait d'une démarche pataude vers la voiture. C'était de toute évidence un patient, et Charlie n'y prêta guère d'attention. Les louftingues faisaient partie du paysage.

– Monsieur Babbitt, vous aviez tout juste deux ans quand j'ai fait la connaissance de votre père, dit doucement le Dr Bruner.

Charlie se tourna vers lui.

– L'année où ma mère est morte? demanda-t-il.

Bruner hocha la tête.

– Et maintenant, j'ai la garde du patrimoine laissé par votre père. Mais je puis vous assurer que ni l'établissement ni moi n'en tirons le moindre bénéfice.

J'espère bien, pensa Charlie.

– Je ne trouve pas cela très équitable, préféra-t-il dire. Peut-être... pourrions-nous nous arranger à ce sujet...

Mais le Dr Bruner parut ne pas avoir entendu la proposition émise par Charlie.

– C'est une charge que j'ai acceptée par fidélité à votre père, répondit-il. Et j'entends bien respecter mes engagements.

Une fois de plus la colère tenailla Charlie. *Du calme,* se sermonna-t-il en se tournant vers la fenêtre pour cacher son impatience. L'interné au sac à dos était planté devant la Buick qu'il semblait examiner avec la plus extrême attention.

– Et vous pensez que je devrais moi aussi respecter les dernières volontés de mon père, dit Charlie avec quelque difficulté.

– Non, je sais seulement que vous vous estimez dépouillé de vos droits, répondit Bruner avec une égale douceur. Et cela par un homme qui a toujours eu des difficultés à manifester de l'affection à ses proches.

C'était tellement vrai que Charlie tressaillit légèrement. Il eut l'impression de s'être piqué à une rose. *Ce psy n'est pas un crétin,* pensa-t-il. Dehors, le braque au sac à dos avait sorti un calepin et, coulant de brefs regards à la Buick, s'était mis à noter avec fièvre tout ce qu'elle lui inspirait.

– Et je pense, poursuivait le Dr Bruner, que j'éprouverais les mêmes sentiments si j'étais à votre place.

Une ouverture? Charlie se tourna vers le psychiatre et, ôtant ses lunettes, le regarda dans les yeux. Le moment de la franchise était venu.

– J'espérais que nous pourrions parler... que vous sauriez m'expliquer pourquoi mon père a jugé bon de me spolier, de me déshériter. Parce que, Dr Bruner, à moins d'être convaincu du bien-fondé de son testament, je me battrai pour recouvrer mes droits.

Le Dr Bruner s'adossa à son fauteuil et croisa les doigts. Un vague sourire se dessina sur ses lèvres. Il s'était attendu à cette première charge de Charlie Babbitt, à cette menace implicite de poursuites judiciaires. Il n'en trouvait pas moins le jeune Babbitt séduisant, intelligent. L'homme devait être redoutable, quant il s'agissait de défendre ses intérêts, et le Dr Bruner savait qu'il avait en face de lui un adversaire digne de respect.

– Ma foi, Monsieur Babbitt, je ne doute pas que vous soyez prêt à vous battre, dit le Dr Bruner. Des combats, j'en ai mené moi-même pas mal depuis que je dirige cette institution, et j'ai eu, croyez-moi, de rudes adversaires... Il leva vers Charlie un regard empli de fermeté... Mais, voyez-vous, je suis toujours là...

L'entretien était terminé. Charlie n'avait rien obtenu. Il avait échoué à obtenir du Dr Bruner le nom du bénéficiaire anonyme. Mais il en fallait plus pour que Charlie Babbitt s'avoue vaincu. Seul le premier round venait d'avoir lieu, un simple round d'observation. Il apparaissait cependant à Charlie qu'il lui faudrait plus de temps que prévu pour arriver à ses fins. Qu'à cela ne tienne, il savait se montrer patient quand il le fallait.

Le Dr Bruner l'accompagna jusqu'à la porte d'entrée. Il commençait à faire chaud, mais le soleil était bon. Le jardin resplendissait de lumière et résonnait du chant des oiseaux.

L'interné au sac à dos était toujours planté devant la Buick, à prendre des notes comme s'il faisait un constat d'accident. Il jetait des regards à la voiture, comme pour s'assurer sans cesse de son existence, mais jamais ses yeux ne se posaient sur Susanna, qui le contemplait d'un air ahuri.

– Raymond, appela le Dr Bruner d'une voix où perçait une soudaine inquiétude, vous ne devriez pas être dehors. Rentrez donc.

Mais Raymond ne lui prêta pas attention. Son stylo à bille continuait de courir sur les pages du calepin. Charlie passa à côté de lui sans le voir vraiment et tendit la main vers la poignée de la portière.

– Pitoyable, dit Raymond.

Charlie tourna la tête vers lui.

– Vous m'avez parlé? demanda-t-il.

Mais Raymond ne regardait même pas dans sa direction. C'était à sa page noircie de notes qu'il semblait s'adresser.

– Bien sûr ces sièges ne sont pas du cuir véritable... ce sont de pitoyables sièges... pas... de ce beau cuir marron... non, ceux-ci sont rouges, vulgaires...

Pour la première fois, Charlie regarda Raymond avec attention. Le petit homme devait avoir une quarantaine d'années. Il avait l'air fragile et complètement inoffensif. Comme tous les internés, il était proprement vêtu d'une chemise à manches courtes en coton imprimé et d'un pantalon de toile qu'il portait très haut sur la taille, presque sous les aisselles. De la pochette de sa chemise pointait toute une batterie de stylos et de crayons. Ses cheveux, coupés sans art par le coiffeur maison, formaient un curieux mélange de mèches tantôt dressées tantôt aplaties à l'eau. Hors ce détail, il était parfaitement propre et soigné.

Il avait un visage banal, étrangement inexpressif. Nulle lueur dans les yeux noirs, nulle ride rieuse en leurs coins, nulle animation sur ces traits de vieil enfant.

Charlie sourit en secouant la tête.

– C'est curieux, tu sais, dit-il à Susanna. Quand j'étais petit, les sièges de cette voiture étaient en cuir marron.

– Et... et, continua Raymond d'une voix rapide et neutre, sers-toi donc du cendrier parce que... parce qu'il est là pour ça... C'est du cuir véritable... et ça ne coûte rien de mettre sa cendre dans le cendrier.

Le sourire de Charlie s'effaça soudain. Il était stupéfait par ce qu'il venait d'entendre.

– Merde alors, murmura-t-il, c'est exactement ce que disait mon père...

Il regarda Raymond plongé dans ses notes. Brusquement ce dernier leva les yeux et rencontra le regard de Charlie, impénétrable derrière les lunettes noires. Puis tout aussi vite il retourna à son calepin.

– Venez avec moi, Raymond, dit le Dr Bruner d'un ton pressant. Laissez ces personnes s'en aller.

Charlie éprouvait des picotements dans la nuque et comme un nœud à l'estomac. Une intuition...

– Vous connaissez cette voiture? demanda-t-il sèchement à Raymond.

Aussitôt Raymond joignit les mains, tentant de maîtriser le tremblement qui s'était emparé d'elles, ce qui n'était pas chose facile avec le calepin et le stylo. Une expression de peur passa sur son visage et il tourna la tête vers le Dr Bruner, implorant son aide. Mais à ce moment-là le psychiatre contemplait la scène d'un tel air de reproche que Raymond détourna les yeux et fixa le sol.

– Hé, vous! cria Charlie. Vous connaissez cette voiture? Il enleva ses lunettes afin que Raymond pût le regarder.

Mais Raymond était pris maintenant d'un tremblement qui agitait sa frêle silhouette, comme si un courant de faible voltage lui passait à travers la moelle. Son regard partait dans toutes les directions, sauf celle de Charlie.

– Je... ne sais pas, parvint-il à bredouiller d'une voix à peine audible.

– Comment ça, vous ne savez pas? aboya Charlie. Il fit un pas vers Raymond, qui recula de peur.

– Ça suffit, Monsieur Babbitt, intervint le Dr Bruner. Vous voyez bien que vous le troublez!

– Charlie, je t'en prie... dit Susanna.

Raymond regarda tour à tour la jeune femme, le psychiatre et Charlie, comme s'il se livrait à quelque constatation. Il écarta ses mains pour se remettre à noter furieusement tout en marmonnant.

– Charlie... Charlie Babbitt... Un-neuf-six-un, Beechcrest Avenue.

Charlie resta bouche bée pendant quelques secondes.

– Co... comment connaissez-vous cette adresse? demanda-t-il confondu.

Raymond pencha la tête en avant et sa voix était si basse qu'ils faillirent ne pas entendre sa réponse :

– Comment! parce que!

Non, il n'allait pas s'en tirer comme ça, pensa Charlie, tous les instincts en alerte, à présent.

– Dites-le-moi! insista-t-il d'une voix vibrante.

La tête de Raymond tressauta comme si Charlie avait tiré sur une ficelle et il rencontra son regard. Mais il n'y avait toujours aucune expression dans ses yeux, excepté celle de la peur.

Ce fut le Dr Bruner qui apporta la réponse d'une voix résignée, presque triste :

– Parce qu'il est votre frère.

Susanna étouffa une exclamation, et le silence tomba. Raymond s'arrêta de marmotter, et Charlie secoua la tête d'un air incrédule. Puis il éclata d'un rire bref.

– Qu'est-ce que ça veut dire?

– Que les frères ont le même papa et... la même maman, répondit Raymond, puis il ajouta comme une leçon bien apprise :

– Sanford Babbitt. Un-neuf-six-un, Beechcrest Avenue, Cincinnati, Ohio, Etats-Unis d'Amérique.

Charlie ouvrit de grands yeux.

– Maman s'appelle Eleanor Babbitt, poursuivit Raymond. Elle est avec les anges.

– Oh, Charlie, murmura Susanna, les larmes aux yeux.

Il n'y avait pas de doute, l'interné qui répondait au nom de Raymond était le propre frère de Charlie.

Mais celui-ci n'était pas encore prêt à l'accepter. Il pivota sur les talons et s'éloigna d'un pas vif, comme s'il pouvait effacer le lien supposé le lier à Raymond par une simple distance physique. Mais au bout de quelques pas, il fit demi-tour, le visage empreint de colère et de stupeur à la fois. Il demanda d'une voix vibrante d'émotion au Dr Bruner :

– Mais co... comment cela est-il possible? Je n'ai pas de frère! Je n'en ai jamais eu!

Raymond, agité, jeta un regard au psychiatre mais celui-ci regardait Charlie. Alors Raymond baissa les yeux sur sa montre et se mit à lui parler.

– Bien sûr, dans treize minutes, c'est Wapner... et ce ne sont pas des comédiens... ce sont de véritables affaires judiciaires... au tribunal correctionnel... Cour de Californie.

Raymond Babbitt se détourna et, sans un regard vers Charlie, Susanna, le Dr Bruner ou la Buick, s'en fut de son pas traînant et gauche vers le bâtiment. Il avait un objectif. Wapner.

– Et maintenant, il n'y a plus que douze minutes...

Chapitre 4

Ainsi le légataire n'était-il plus anonyme. Il s'appelait Raymond Babbitt. Charlie, venu chercher un héritier, avait trouvé un frère. Raymond Babbitt, enfermé dans un établissement psychiatrique, n'était cependant pas un malade ordinaire. Non, Raymond était un malade en possession de plus de trois millions et demi de dollars. Et pourquoi pas? Après tout il était l'aîné de la famille Babbitt? Et n'était-ce pas l'aîné qui héritait du père? Il était mentalement dérangé? Dingo au point de devoir passer sa vie dans une maison dite de « repos »? Quelle importance, du moment que le sacro-saint principe de désigner comme légataire le fils aîné était respecté! Pour Sanford Babbitt, cela avait peut-être un sens, mais pas pour Charlie.

Par ailleurs, Raymond n'allait pas beaucoup en profiter, de ses millions. Combien coûtaient un carton de calepins et une boîte de stylos à bille? De quoi d'autre avait-il besoin? Ce n'était pas pour lui les voitures rapides et les femmes faciles, pas plus que les costumes sur mesure et les attiques en bord de mer. Pas pour lui le ski dans les Alpes et le carnaval à Rio. Même une installation à perpétuité dans l'établissement le plus luxueux du monde n'entamerait guère l'intérêt annuel que représentait un placement de trois millions de dollars.

– Je voudrais m'entretenir avec vous, dit Charlie au Dr Bruner.

Le docteur acquiesça d'un signe de tête.

– Allons déjeuner, les invita-t-il. Après cela, je vous dirai tout ce que vous voulez savoir.

Le déjeuner se composa de sandwiches, d'une salade et de café dans le bureau du docteur. Charlie mangea rapidement sans dire un mot, tandis que Susanna et le Dr Bruner s'entretenaient plaisamment du jardin. Comme Sanford Babbitt, le psychiatre était un amoureux des fleurs.

L'après-midi commençait quand ils ressortirent dans le jardin. La série télévisé « La Justice est à vous » était terminée, et les dernières sentences du juge Wapner dûment notées dans le calepin correspondant, Raymond était de nouveau dehors, arpentant de sa démarche de canard les allées du parc, son sac à dos soigneusement sanglé sur son dos.

Susanna le rejoignit, et ils s'assirent sur l'un des bancs de pierre. Mais Raymond ne prêtait aucune attention à la jeune femme. Il avait sorti un calepin et s'était remis à ses notes. Charlie et le Dr Bruner déambulaient dans le jardin sans perdre Raymond de vue.

– Que voudriez-vous savoir? demanda le psychiatre.

Par où commencer? se demanda Charlie.

– Qu'est-ce qu'il écrit continuellement?

– Des listes, surtout. Il en a une qu'il appelle liste des Événements Dramatiques, une autre, celle des Faits Divers, ou encore celle des Prévisions de Mauvais Temps. Il tente de contrôler ce qu'il juge dangereux en le notant dans ses calepins.

Charlie resta pensif pendant une minute.

– Chacun dans notre genre, dit-il enfin, nous faisons tous un peu ça. Par superstition, le plus souvent.

Le Dr Bruner approuva d'un signe de tête, considérant avec un respect accru l'intelligence de Charlie Babbitt.

– Oui, ce sont des comportements rituels utilisés comme un tropisme pour chasser ses démons personnels. Mais voyez-vous, pour Raymond, le danger est partout. Et les routines, les rituels sont tout ce qu'il a pour se protéger.

– Des rituels? répéta Charlie, désireux d'une explication. Il ne savait pas ce que signifiait « tropisme », mais il s'en fichait.

– Oui, sa façon de manger, de s'habiller, de s'endormir, d'utiliser la salle de bains, de marcher, de parler... tout. Et toute interruption dans ces habitudes est pour lui proprement terrifiante. Mais... Le Dr Bruner s'interrompit, hésitant. Comment une personnalité aussi pragmatique que celle de Charlie pouvait-elle comprendre un malade tel que Raymond?... Mais votre frère est quelqu'un de doux et, par certains côtés, d'une intelligence hors du commun.

– Intelligent? Charlie haussa les sourcils. Il jeta un regard en direction du banc où Raymond continuait d'écrire.

Le Dr Bruner hocha la tête.

– C'est un savant, dans son genre. Il a certaines déficiences, mais également des capacités. Et certaines sont assez stupéfiantes, je dois dire.

Raymond? C'était un peu gros à avaler pour Charlie. Il regarda de nouveau vers Raymond.

– Mais il est retardé, non?

– Non, il ne l'est pas du tout, répondit le Dr Bruner. C'est un autiste, c'est-à-dire quelqu'un coupé de ce que nous appelons le réel. Peut-être est-ce le résultat d'une lésion du cervelet au stade fœtal. Mais ce que vous devez comprendre, c'est que Raymond n'a pas le même rapport que nous avec le monde et autrui. Vous et moi, nous relions entre eux tous les instants de notre vie. Constamment nous rassemblons des informations que nous raccordons à une vision globale du monde. Quand un élément nouveau se présente à nous, nous le comparons à ce que nous savons déjà, nous l'évaluons afin de savoir s'il faut le retenir ou pas. Et surtout, nous réagissons émotivement en fonction de lui. Nous possédons une large gamme de sentiments... tristesse, bonheur, haine, pitié, passion, dévouement, mépris, sympathie, désir, joie, etc. Chaque jour de notre vie nous éprouvons toute une variété de sentiments et d'émotions.

« Pas Raymond. Les informations qui lui parviennent, il les range dans son cerveau et dans ses calepins. Mais ce ne sont que des élements individuels sans relation entre eux. Les informations météorologiques sont aussi importantes à noter que s'il s'agissait d'une idée géniale. Il ne peut percevoir de lien entre les faits, pas plus qu'il n'en conçoit entre lui-même et les autres. C'est cela qu'il faut absolument se rappeler en face d'un autiste. Il ne peut avoir de relation avec vous, ou vous avec lui. C'est une impossibilité. Le mécanisme n'est pas là. Il est né avec une pièce manquante.

« Et plus important encore, Raymond ne connaît que deux types d'émotions... la peur et ce que j'appelle la « non-peur », parce que je n'ai pas d'autre mot pour décrire cette absence temporaire de peur. Ce n'est pas un sentiment de sécurité, c'est une façon qu'il a de se fermer au monde, de ne plus le redouter.

Le Dr Bruner s'arrêta de parler et regarda Charlie. Celui-ci avait-il compris? Il pinçait les lèvres en continuant de regarder en direction de son frère. Mais son regard restait impénétrable.

– Avec vous, aujourd'hui, il s'est comporté de façon très ouverte, dit doucement le Dr Bruner. Je trouve ça très positif.

Charlie secoua la tête d'un air étonné.

– La vie est bizarre, vous savez. Trois millions de dollars. Et il porte un sac à dos... Il tourna la tête vers le Dr Bruner... Comment diable pourra-t-il les dépenser?

***

Susanna et Raymond avaient quitté le jardin. Quand Charlie vint les chercher, il les trouva dans la petite chambre de Raymond, absorbés dans la construction d'un château de cartes. Susanna était au gros œuvre : assise par terre, elle assemblait les cartes sous le regard attentif de Raymond, assis au pied de son lit. A côté d'eux se tenait Vernon, un grand Noir dans une blouse verte d'infirmier.

La chambre, très succinctement meublée, était envahie de livres. Il y en avait partout, empilés sur l'unique étagère, sur le bureau, sur le sol. Cette passion livresque cohabitait avec une deuxième, celle du base-ball, qui s'étalait sur les murs – portraits de joueurs, photos d'équipes, affiches de matches. Mêmes les cartes que Susanna utilisait pour construire le fragile château portaient au verso le nom et la photo d'un joueur.

– Bon, et maintenant retiens ton souffle, disait Susanna au moment où Charlie apparut sur le seuil. Elle se préparait à poser une nouvelle carte sur l'édifice.

Raymond prit une profonde inspiration et retint son

souffle, tandis que Susanna déposait le toit du premier niveau. Les parois frémirent légèrement, mais l'ensemble tint bon. Bravo.

– Tu peux respirer, dit doucement la jeune femme.

Raymond souffla bruyamment.

Charlie désigna le jeu de cartes d'un signe de tête.

– Il y a Fernando Valenzuelas là-dedans? demanda-t-il.

– Je ne sais pas, répondit la jeune femme. Tous ces types sont d'anciennes vedettes. Je n'ai jamais entendu parler d'eux.

– Les Rouges de Cincinnati, 1955, dit Raymond.

– Oui, je sais, tu me l'as dit, murmura Susanna. Je mets celle-ci, maintenant? demanda-t-elle en ramassant une nouvelle carte.

Quand Raymond vit la carte, il se mit à trembler et secoua la tête d'un air craintif. Non, ce n'était pas la bonne. Pas la bonne!

– Ted Kluszewski est première base... première base... c'est lui qui vient ensuite...

Il claquait des dents. Les conséquences d'une erreur aussi bénigne étaient stupéfiantes.

Susanna tendit la main vers lui et lui toucha le bras très doucemement. Raymond se raidit, et elle retira sa main.

– Première base, dit-elle en cherchant parmi le tas. Le voilà, Ted Kluszewski.

– Le Grand Klu, dit Raymond, se détendant brusquement. La routine était rétablie. Il se sentait mieux.

Charlie éprouva une malicieuse curiosité.

– Hé, Raymond, tu ne trouves pas que ce serait drôle de faire écrouler le château? Il fit un pas vers l'édifice de cartes.

Raymond le regarda comme si Charlie avait suggéré un meurtre. Charlie lut une authentique terreur dans les yeux de son frère. Il jugea bon de changer de tactique.

– Dis donc, tu en as des bouquins! dit-il en embrassant les piles de livres du regard. Tu lis beaucoup, hein?

– Il lit et se souvient de tout, intervint Vernon.

S'approchant de l'étagère, Charlie passa sa main sur les tranches des ouvrages, parcourant les titres. Raymond se leva, agité de nouveau par ce tremblement qui le faisait ressembler à un oiseau posé sur un fil électrique, levant une patte après l'autre sous le picotement du courant sans bouger de sa position.

– Tu n'aimes pas qu'il touche tes livres, hein, mon pote? demanda Vernon à Raymond

– Je ne sais pas, répondit Raymond en reculant vers la porte. *Il ne savait pas.* Cela ne s'était pas encore produit, il ne l'avait jamais noté dans ses calepins, alors comment pouvait-il le savoir?

Vernon lui sourit d'un air rassurant.

– T'inquiète pas, il leur fera pas de mal, dit-il avec enjouement.

Raymond cherchait désespérément dans sa mémoire un précédent susceptible de lui apporter protection.

– Bien sûr, c'est une visite-surprise, marmonnait-il. Ce n'est pas une visite normale... une visite de week-end!

Il avait reculé jusque dans le couloir quand il vit avec horreur Charlie sortir un épais volume du rayonnage.

– VERN... VERN... appela Raymond, tremblant de peur.

Vernon se tourna vers Charlie.

– Il a peur, dit-il.

– Charlie, remets ce livre en place, protesta Susanna.

Mais Charlie n'était pas prêt à obéir. Une malice enfantine le possédait en même temps qu'il voulait savoir jusqu'où l'on pouvait pousser Raymond et sur quels boutons il fallait appuyer. Par ailleurs, il était sincèrement curieux de découvrir ce que le Dr Bruner entendait quand il avait qualifié Raymond Babbitt de « savant ».

– Les œuvres complètes de William Shakespeare, annonça Charlie. Tu as lu tout ça?

– Oui, répondit Raymond d'une voix plaintive.

– Et tu t'en souviens?

– Oui.

Charlie ouvrit le volume relié de cuir. Il y avait une inscription sur la page de garde : « Joyeux anniversaire, Raymond. Avec mes meilleurs vœux, Père. » Charlie reconnut l'écriture de Sanford Babbitt, et il en conçut malgré lui un pincement au cœur.

Il feuilleta les pages, s'arrêtant au début de l'une des pièces.

– Tiens... si on prenait *La Nuit des rois*?

Aussitôt Raymond se mit à réciter le monologue du duc, qui ouvre la pièce, d'une voix plate, sans ponctuation ni emphase, sans beauté ni poésie ni sens.

« Si la musique est l'aliment de l'amour jouez toujours donnez-m'en à l'excès que ma passion saturée en soit malade et expire cette mesure encore une fois elle avait une cadence mouvante... »

Raymond se tut abruptement au claquement du livre que Charlie venait de refermer d'un coup sec. *Pas mal, pas mal, mais complètement inutile,* pensa Charlie.

– Bravo, mon pote! s'écria Vernon, tout sourire.

– C'était formidable, Raymond, dit Susanna avec entrain.

Raymond continuait de regarder Charlie. Ils étaient face à face, mais il semblait que la terre entière les séparait.

– Qu'est-ce que tu sais faire d'autre, Ray? demanda Charlie.

Ce n'était pas une question à laquelle pouvait répondre Raymond, car elle n'en appelait pas à cette mémoire d'ordinateur qui semblait être la sienne. Le petit tremblement d'oiseau réapparut.

– Bien sûr, qu'est-ce que tu sais faire d'autre? répéta-t-il.

La conversation ne risquait pas d'aller loin de cette façon. Charlie choisit de considérer ce que venait répéter Raymond comme une question.

– Qu'est-ce que je sais faire d'autre? dit-il.

– Qu'est-ce que je sais faire d'autre? répéta Raymond. Puis, comme s'il réfléchissait, il ajouta : « Ha! »

Charlie était quelque peu désorienté. Cependant son air perplexe parut procurer un sentiment de triomphe à Raymond, bien que toute conscience de victoire et son corollaire émotif lui fussent assurément étrangers.

– Ha! Ha! Ha! Ha!

– Raymond... Susanna tendit une main apaisante.

Mais Raymond l'ignora. Il était trop occupé à provoquer Charlie.

– Ha! Ha! Ha! Ha! Ha! Ha! Ha!

– Raymond, c'est quoi, la suivante? demanda Susanna, guidée par une fine intuition. Johnny Temple? Elle brandit la carte de base-ball de façon que Raymond vît le portrait et le nom du joueur.

Raymond se tut aussitôt pour reporter toute son attention à la carte. Il avait oublié Charlie Babbitt. Un rapide examen de sa banque de données lui apporta la réponse :

– Johnny Temple, deuxième base.

Il traîna des pieds jusqu'à Susanna, s'agenouilla à côté d'elle et, lui prenant doucement la carte des mains, il posa délicatement celle-ci sur l'édifice, qui frémit mais ne s'écroula pas.

– Tu peux respirer, maintenant, dit-il à Susanna.

La jeune femme rit, mais Raymond n'eut pas l'ombre d'un sourire.

– Il vous aime bien, mademoiselle, dit Vernon. Je peux vous le dire.

Susanna se tourna vers Raymond, mais le lien, s'il y en avait eu un, semblait rompu. Il examinait la carte suivante avec une attention maniaque, comme s'il avait été à la recherche de micro-organismes.

La jeune femme parut déçue.

– Quand je l'ai touché tout à l'heure, il s'est raidi, dit-elle tristement à Vernon.

– Ne le prenez pas pour vous, dit le Noir avec gentillesse. Je suis probablement la personne la plus proche de lui sur terre. Et il n'a jamais posé la main sur mon épaule. Jamais. Il n'a pas ça en lui... Vernon sourit... Tenez, si je partais demain, sans lui dire au revoir, il ne s'en apercevrait même pas.

Raymond s'attardait dans l'examen de sa carte, la tournant et retournant dans sa main.

Charlie chuchota à Vernon :

– Est-ce qu'il... peut nous entendre quand il est comme ça?

– Hé, mon pote! appela Vernon. Tu ne veux pas montrer tes canards à ton frère?

Raymond répondit sans lever les yeux de la carte à jouer :

– Je ne sais pas.

– Vous avez vu la mare en venant? expliqua Vernon. Il passe la moitié de ses journées là-bas.

Charlie se tourna vers Susanna.

– Tu pourrais peut-être prendre la voiture et faire un tour en ville, suggéra-t-il d'un ton détaché. Comme ça, je pourrais rester un peu avec Ray, pour qu'on fasse davantage connaissance tous les deux. Tu reviendrais me prendre dans la soirée. Qu'en penses-tu? Tu pourrais faire ça pour moi? Il lui sourit avec tendresse.

Susanna ne put s'empêcher d'éprouver une certaine déception en même temps que de l'irritation. Il l'utilisait de nouveau, mais elle ne voyait pas dans quel but. Elle était cependant persuadée qu'il était encore en train de monter l'un de ces coups tordus dont il avait le secret.

– D'accord, si c'est ce que tu veux, dit-elle à contre-cœur.

Charlie eut un grand sourire.

– Viens, Ray, dit-il avec gaieté. Raccompagnons cette dame à la voiture.

Il allait s'avancer vers la porte quand Raymond lui barra le chemin d'un bras rigide tout en fixant le sol devant lui. Il fallut quelques secondes à Charlie pour suivre le regard de son frère et comprendre que celui-ci protégeait le petit château de cartes. Charlie approuva d'un signe de tête et fit prudemment le tour de la construction. Après tout, n'était-ce pas l'œuvre de Raymond et Susanna? Eh bien, le frangin était peut-être complètement dérangé, pensa Charlie, mais il n'était pas aussi imprévisible qu'on le supposait.

Ils durent attendre que Raymond enfilât son sac à dos et en ajustât chaque bretelle avec un soin maniaque. Il ne faisait jamais un pas dehors sans son sac.

L'après-midi était bien avancé quand ils ressortirent dans le jardin, Raymond traînant à quelques pas derrière Susanna et Charlie. Comme ils s'approchaient de la Buick, Charlie se retourna vers son frère.

– Ray, je voudrais rester seul avec Susanna pendant une petite minute, d'accord? Je reviens.

Raymond acquiesça d'un hochement de tête mais, comme Charlie se remettait en marche, il le suivit comme un chien son maître. Charlie s'arrêta et, s'efforçant de garder une voix calme, il précisa :

– Non. Seul veut dire sans toi. Attends-moi ici, d'accord? Susanna, dis au revoir à Raymond.

Susanna fit la grimace. Sa sensibilité naturelle souffrait d'entendre Charlie parler à son frère de cette façon, lui ordonnant de l'attendre comme s'il s'adressait à quelque créature stupide. Toutefois elle ne put faire autrement que s'exécuter.

– Au revoir, Raymond. A bientôt. Elle lui sourit et lui fit un signe de la main.

Raymond ne lui rendit pas son sourire, mais sa main reproduisit parfaitement le signe d'adieu qu'elle lui avait adressé.

Charlie s'avança de nouveau, et... Raymond en fit autant.

– Bouge plus! ordonna soudain Charlie en levant la main comme un entraîneur de chiens. Cette fois Raymond s'arrêta net et resta figé comme un piquet, tandis que Charlie, prenant Susanna par la main, l'entraînait sans un mot vers la voiture. Il y avait une tension sur son visage que la jeune femme ne lui avait jamais connue.

– Écoute, changement de programme, chuchota-t-il d'un ton pressant. Voilà ce que je veux que tu fasses...

Susanna l'écouta avec confusion. Où Charlie voulait-il en venir et pourquoi ne lui confiait-il ses véritables intentions?

– J'aimerais bien que tu m'expliques, dit-elle d'un ton plaintif. D'abord tu me demandes d'aller faire un tour en ville, et maintenant...

– Je t'en prie, fais comme je t'ai dit, la pressa Charlie. Je te le promets, ce ne sera pas long. Et ce que je fais, je le fais pour Raymond.

Charlie n'était pas sot. Il connaissait bien les points faibles de la jeune femme; sa sympathie pour Raymond ne lui avait pas échappé.

Susanna jeta un regard dans la direction de Raymond qui les observait anxieusement. Il piétinait sur place sans les quitter des yeux et en tendant la tête aussi loin qu'il le pouvait devant lui dans l'espoir d'entendre ce qu'ils se disaient. Son inquiétude et sa misère manifestes allèrent droit au cœur de Susanna.

– D'accord, comme tu voudras, dit-elle, résignée. Va, il t'attend.

Charlie la serra dans ses bras et l'embrassa. Puis la jeune femme monta dans la Buick et démarra.

Charlie fit signe à Raymond de le rejoindre, et ce dernier trottina vers lui. Il était temps de lui montrer ses canards.

Ils s'assirent côte à côte sur le bord de la mare, observant les canards godiller dans l'eau verte. En vérité, seul Charlie « observait » les volatiles, car Raymond était de nouveau à gribouiller dans un calepin à la couverture verte. De temps à autre il levait les yeux de ses notes pour embrasser la mare d'un regard attentif, mais jamais ne tournait les yeux vers son frère.

– Qu'est-ce que tu notes? demanda Charlie.

– Je ne sais pas. Raymond fixait sa page d'un air têtu.

– On dirait que c'est la liste des Événements Dramatiques, fit remarquer Charlie.

– La pluviométrie est de trois centimètres cinquante-sept en dessous de la normale, à Cincinnati, récita Raymond d'une voix plate. C'est la mesure la plus basse depuis septembre 1960. Il n'a presque pas plu.

Le fait semblait l'agiter, et il frissonna en regardant tour à tour la mare et ses notes.

– C'est donc bien la liste des Événements Dramatiques? insista Charlie, curieux de savoir s'il avait deviné juste.

– Non, répliqua Raymond.

– Raymond, dit doucement Charlie. Raymond, regarde-moi. Je voudrais te dire quelque chose... Raymond fut pris d'un léger tremblement mais il se garda de tourner la tête vers son frère... Écoute, papa est... papa est mort, Ray. Il est mort la semaine dernière. Est-ce qu'ils te l'ont dit?

Raymond ne répondit pas, mais il sembla à Charlie que sa tension s'accentuait.

– Sais-tu ce que cela veut dire... être « mort »?

Raymond répondit d'un hochement de tête hésitant. Il était évident qu'il n'avait aucun concept de la mort.

– Ça veut dire que papa est parti... pour toujours.

– Est-ce que je peux le voir? demanda Raymond.

Charlie se mordilla la lèvre.

– Je veux le voir! s'écria soudain Raymond avec une force que Charlie ne lui soupçonnait pas.

Charlie réfléchit un instant.

– Bien sûr que tu peux le voir. Nous allons le voir ensemble. Allons-y tout de suite.

– Tout de suite, approuva Raymond. « Tout de suite » pour lui signifiait qu'il fallait d'abord se lever, mouvement qui ne s'exécutait jamais rapidement, puis ranger son calepin à sa place exacte dans son sac, et le stylo à bille dans la pochette en plastique dans la position où il l'avait pris, enfin enfiler le sac à dos, en commençant par la bretelle droite, puis la gauche et en ajustant chacune dans le même ordre. Alors seulement il était prêt. Charlie observa le rituel de ces préparatifs avec une impatience à peine dissimulée.

Lui faisant signe de le suivre, Charlie entraîna Raymond sur le chemin de terre dans la direction opposée à la maison. Derrière eux, la façade de Wallbrook disparut bientôt à un tournant du chemin. Quelques mètres plus loin, dans l'ombre des châtaigniers luisait la masse oblongue de la Buick, au volant de laquelle Susanna les attendait.

– Laisse-moi le volant, dit Charlie en ouvrant la portière. A la vue de Raymond, Susanna ouvrit de grands yeux et jeta un regard interrogateur à Charlie. Mais il se contenta de faire signe à Raymond de monter à côté de Susanna, tandis que lui-même s'installait à la place du conducteur.

– C'est la voiture de papa, dit Raymond. Sièges minables à l'intérieur, couleur crème à l'extérieur. La plaque d'immatriculation portait le numéro trois mille vingt et un en chiffres rouges.

– Charlie, attends une minute, je te prie! protesta Susanna. Où l'emmenons-nous?

– Faire une balade à la campagne, répondit Charlie en démarrant rapidement. Alors qu'ils s'éloignaient, Raymond jeta un regard par-dessus son épaule en direction de Wallbrook. Son visage restait sans expression mais son corps exprimait l'inquiétude.

– Ne t'inquiète pas, nous allons revenir, lui dit Susanna pour le rassurer.

Charlie ne fit aucun commentaire.

***

– Tu as dit que je pourrais le voir, dit Raymond. C'était un reproche, mais la voix demeurait toujours aussi inexpressive.

Raymond tendit une main vers la pierre tombale mais la retira juste au moment de la toucher. Il lut à haute voix l'inscription gravée dans la pierre :

À NOTRE REGRETTÉ ÉPOUX ET PÈRE
SANFORD BABBITT 1918-1988

Dans la terre. Papa est dans la terre. Raymond, assis les jambes croisées sur la tombe de Sanford Babbitt, regarda à ses pieds. Mais il ne voyait rien, hormis le tapis vert du gazon. Pas de papa. Il tendit de nouveau la main et arracha une touffe d'herbe. Puis il regarda Charlie, allongé sur le dos dans l'herbe, près de la tombe.

– Tu peux lui parler, dit Charlie. Il ne pourra pas te répondre, mais peut-être qu'il t'entendra.

Il y eut un silence pendant lequel Raymond considéra la proposition. Puis, d'une voix assez forte pour pénétrer dans le sol... et faire bondir Charlie, il hurla :

– *Papa, c'est Raymond!*

Pas de réponse. Se penchant gauchement, Raymond colla son oreille sur la pierre.

– Je t'ai dit qu'il ne pouvait pas te répondre. Mais tu n'as pas besoin de gueuler, d'accord? Il t'entendra mieux si tu chuchotes.

Raymond jeta un regard méfiant à Charlie. Chuchoter? Comment était-ce possible? Mais Charlie hocha la tête d'un air apparemment convaincu. Alors Raymond se pencha de nouveau et, collant les lèvres contre le marbre, il murmura :

– Papa. Je suis là. Avec mon frère. Charlie Babbitt.

De nouveau il regarda Charlie, l'autorité, pour confirmation. Son regard demandait : « Est-ce que papa m'a entendu? » Charlie répondit affirmativement d'un signe de tête.

– Dis-moi, Ray, je me demandais si tu n'aimerais pas voir un match de base-ball. Un vrai?

Mais la question de Charlie rebondit sur un mur aveugle. « Aimer », « ne pas aimer », c'étaient là des concepts étrangers à Raymond.

– On s'installera derrière la première base. Au stade Dodger. Et nous regarderons Fernando lancer. Et je te paierai une bière.

Cela provoqua une réaction différente de celle que Charlie avait espérée. Raymond commença à s'agiter d'un air inquiet.

– Bien sûr, je ferai tout le chemin jusque là-bas. Tout le chemin tout seul. Tout le chemin jusqu'en Californie. Tout seul... et je n'ai pas la permission de...

– Tu ne seras pas seul, Ray, dit Charlie d'une voix enjouée. Tu seras avec moi.

Partir avec Charlie Babbitt. Partir en Californie avec Charlie Babbitt, voir un match de base-ball, boire une bière. La perspective était tellement nouvelle que Raymond se figeait, le regard fixé sur Charlie. Il s'efforçait désespérément de traduire ce que lui proposait ce dernier, de trouver des mots qu'il pourrait noter dans l'une de ses listes, mais il n'y parvenait pas. Pourtant, étrangement, il n'éprouvait aucune peur.

Chapitre 5

Sur la route du retour à Cincinnati, dans la Buick filant un confortable cent à l'heure, Raymond, installé maintenant dans le baquet arrière, prenait note de chaque arbre, chaque panneau publicitaire. Son regard balayant comme un radar le paysage, son cerveau en enregistrait les signes sans leur donner de sens, du moins en apparence. Qui pouvait savoir ce qui se passait dans son esprit dérangé?

Ils ne repassèrent pas par le domicile familial, au 1961, Beechcrest Avenue, pas plus qu'ils ne retournèrent au Broadham Hotel. Ils descendirent dans un motel de la ville, où ils prirent deux chambres avec une porte communicante.

– Bienvenue dans la suite présidentielle! s'exclama Charlie en poussant son petit monde à l'intérieur. Il balança leurs sacs de voyage sur le grand lit qu'il partagerait avec Susanna.

Naturellement, Raymond ne comprit pas un mot de ce qu'il disait et resta planté au milieu de la moquette passée, son regard fixé sur Charlie. Celui-ci fit signe de le suivre. Il était temps que Raymond découvre sa propre chambre. Mais Raymond ne bougea pas. Charlie lui fit signe de nouveau, plus impérativement cette fois, et Raymond parut réagir. Il fit quelques pas incertains et heurta une petite table supportant une lampe. Table et lampe se renversèrent avec fracas. Raymond, atterré, se figea. C'était un désastre. Un à consigner sur la liste des Événements Dramatiques.

Il fit alors une chose qu'il n'avait jamais faite. Il se pen-

cha et redressa la lampe. Mi
cassée. Il s'en saisit à deux
tendit à Susanna. Un présent.

Surprise, Susanna hésita.
contrèrent, et la jeune femme ac
sourit affectueusement, conscient
conflit dont Raymond devait être l

– Merci, Raymond.

Il la regarda gravement sans lui re
Sourire ne faisait pas partie de ses cap

Charlie s'impatientait. Son rytme int
vitesse bien trop rapide pour qu'il pût s'a
teur d'escargot avec laquelle fonctionnait

– Allez, viens! Il ouvrit la porte commu
les deux pièces, et pressa Raymond d'avance
mit en branle de sa démarche traînante.

– Eh voici ta chambre, Ray, annonça Char
fatale.

Une expression apeurée traversa le visage de Ra
Il balaya la pièce d'un regard anxieux.

– Ce... ce n'est pas ma chambre... pas du tou
chambre, bredouilla-t-il.

– Mais c'est seulement pour cette nuit, l'assura Ch
lie.

– En attendant qu'on te ramène à Wallbrook, ajouta
Susanna.

Mais Raymond n'était pas en état d'entendre des paroles rassurantes. Il était l'otage d'une dimension étrangère à ses mécanismes habituels de défense. Il se retrouvait en terrain inconnu, et sans armes.

– Bien sûr, je vais rester ici pendant longtemps, très longtemps, dit-il d'une voix précipitée. Jamais je ne...

– Non, Raymond, sincèrement! l'interrompit Susanna.

– Je suis parti. Je suis parti pour de bon. Je suis parti de chez moi...

– Non, Raymond, non. C'est seulement pour cette nuit. Je te le promets, Raymond, dit Susanna d'une voix fervente, si impérative que Raymond se tut abruptement. Pour la première fois, il sembla l'entendre, et il se calma quelque peu.

– Bien sûr, ils ont déplacé mon lit, dit-il avec de petits hochements de tête.

vrai, ça, intervint Charlie. Tu le préfères sous
e, hein? Il commença à pousser le lit sous le
nquiet de Raymond. Avec le lit installé sous la
Raymond parut moins désorienté. Mais l'accal-
dura pas.
s livres... ils ont pris tous les livres... tous...
on, pas tous, Ray. Ouvrant le tiroir de la table de
Charlie en sortit la Sainte Bible dont les éditions
on approvisionnent tous les hôtels d'Amérique pour
lut du voyageur solitaire. Tiens, regarde.
aymond s'empara du livre à deux mains et le tint
ne façon bizarre, les bras tendus, tandis que ses yeux
rs parcouraient la chambre, comptabilisant les irrégu-
ités.

– Ils... ils ont pris les étagères.

– Tu n'as pas besoin d'étagères, dit Charlie qui
ommençait à perdre patience. C'est pourquoi ils ont mis
a Bible dans le tiroir.

Mais la logique était un domaine étranger à Raymond, à moins que ce ne fût une logique de son invention. La nudité des murs semblait exercer sur lui la même angoisse qu'éprouvait une personne atteinte de vertige à se pencher au-dessus d'un gouffre. Dans sa chambre à Wallbrook, une large moulure courait le long des murs en dessous du plafond et, naturellement, il y avait rangé des livres. Il y avait bien une moulure du même type dans cette pièce étrangère, mais elle était beaucoup plus étroite. Cette particularité ne pouvait qu'échapper à Raymond. Il ne savait qu'une chose : on pouvait y mettre des livres. Se haussant sur la pointe des pieds, il posa la Bible sur le mince rebord. L'instant d'après le volume chutait avec un bruit mat sur la moquette.

Une autre catastrophe bonne pour la liste des Événements Dramatiques.

Transi de peur, Raymond contempla la Bible à terre. Le corps tremblant, il se mit à chuchoter, la tête baissée. Susanna et Charlie ne pouvaient comprendre un seul mot de ce qu'il disait.

– Que dis-tu, Ray? demanda Charlie. Je n'entends rien.

Mais Raymond était dans son monde de chuchotements. Le tremblement d'oiseau sur un fil électrique

l'avait repris. Susanna frissonna. Elle avait eu peur depuis le départ que survînt une crise semblable. Raymond avait été jeté dans un monde trop nouveau, trop menaçant pour lui. Ils n'auraient jamais dû l'amener ici. Si seulement Charlie voulait bien l'écouter parfois!

Charlie s'approcha de son frère.

– Je ne peux pas t'aider si je n'entends pas, lui dit-il fermement, son visage à quelques centimètres de celui de Raymond. Que dis-tu?

Lentement, Raymond leva les yeux du livre tombé. Mais il continua de trembler comme une marionnette sous ses fils. Les yeux rivés sur Charlie, il recula en se frottant les mains et secouant la tête.

– Charlie, ramenons-le, supplia Susanna, alarmée par la réaction de Raymond. Elle se baissa pour ramasser la Bible.

– Ça va lui passer, dit Charlie. Hé, Ray? Tu aimes la pizza?

– Tu aimes la pizza, Charlie Babbitt, répondit Raymond sans la moindre intonation. Toutefois son angoisse parut décroître. « Pizza » était un mot qu'il comprenait, un mot commun à l'univers de Wallbrook.

Susanna fit un pas vers Charlie.

– Je crois qu'il veut dire...

– Je sais ce qu'il veut dire. Nous sommes frères. Il aime la pizza. J'aime la pizza. Nous aimons la pizza. Nous aimons les poivrons et les oignons, pas vrai, Ray?

Aimer? Poivrons? Oignons? Raymond ne pouvait donner de sens à ces mots.

Charlie regagna sa chambre pour téléphoner à la réception.

– Je vais en commander une grande. Tu veux une bière avec, Ray? demanda-t-il par-dessus son épaule. Un lait, peut-être?

Resté seul avec Susanna, Raymond ne prêta aucune attention à la jeune femme. Tout son intérêt était centré sur le lit. Il y avait quelque chose qui n'allait pas... qui n'allait pas du tout. Il déplaça le sommier de quelques centimètres à droite, examina le résultat. Non, ce n'était pas ça. Quelques centimètres de plus. Toujours pas ça. Quelques centimètres de plus. Toujours pas ça. Raymond recommença à paniquer.

– VERN... VERN... appela-t-il d'une voix plaintive. Il poussa le lit à gauche, jugea de l'effet. Catastrophique! La panique accourait au galop.

– VERN... mon pote... VERN... mon pote... Mais Vernon n'était plus là pour rétablir l'ordre des choses. Il n'y avait que des étrangers.

– Charlie, il a peur, dit Susanna. Nous ferions mieux de...

Soudain, aussi brusquement qu'il avait commencé, son désarroi disparut. Raymond était enfin parvenu à placer le lit comme il le fallait. Charlie arriva de la chambre voisine, et il feignit de s'intéresser à la disposition du lit.

– C'est très bien comme ça, Ray, approuva-t-il. Quand tu auras fini dans ta chambre, tu pourras faire la mienne.

Faire?

– Bon, qu'y a-t-il à la télé? demanda Charlie. « La Justice est à vous »? Le juge Wapner? Allez, regarde ta montre.

Raymond obtempéra.

– « Le Joker est fou », dit-il en s'adressant à sa montre-bracelet. Aujourd'hui... aujourd'hui les concurrents vont gagner des prix fabuleux...

– Super. Assieds-toi, je vais allumer le poste.

Obéissant à Charlie, Raymond s'assit sur le bord du lit dans une position parfaitement inconfortable. Charlie approuva d'un signe de tête puis alluma le récepteur. Raymond ne se trompait pas; c'était bien l'heure du « Joker est fou ».

– Étonnant, dit Charlie. Tu vas me faire économiser les guides-télé, Ray.

Calmé, Raymond se mit à regarder le jeu télévisé, qui était pour lui plus réel que tout ce qui pouvait se trouver à la périphérie du petit écran. Charlie sourit à Susanna. Tu vois? Il savait comment mener Raymond. Il n'y avait rien de plus facile. Il prit la Bible des mains de la jeune femme et, s'accroupissant à côté de Raymond, il lui posa le volume sur les genoux.

– Tu as la télé. Tu as ton livre. La pizza arrive. La vie est belle, hein?

Raymond et Charlie se regardèrent. Les yeux de Raymond étaient comme deux trous noirs insondables.

– Tu ne souris jamais? demanda Charlie.

– Je ne souris jamais, dit Raymond en continuant de le regarder.

– C'est très facile, tu sais, dit Charlie. Il sourit à son frère, un sourire de toutes ses dents. Raymond le considéra pendant un moment, puis il sourit à son tour. Ce n'était pas un vrai sourire, mais une imitation, comme celle qu'il avait faite du signe d'adieu de Susanna. Cela évoquait plutôt le sourire d'un mannequin de celluloïd dans une vitrine, mais c'était tout de même un sourire. Le premier de Raymond Babbitt.

– Ce garçon a des aptitudes! s'exclama Charlie en riant.

***

Perché au bord de son lit, Raymond regarda « Le Joker est fou », « Le compte est bon », « Faisons un marché », « La justice est à nous », « Les Jardins d'Hollywood ». La pizza arriva, et Raymond en mangea trois tranches. Toutefois il ne les mangea pas de façon simple, comme on peut le faire avec une fourchette et un couteau ou encore avec ses doigts, mordant à même la tranche. Non, il ne consentit à goûter à sa pizza qu'après que Charlie eut découpé celle-ci en minuscules morceaux de dimensions rigoureusement identiques et plantés d'un cure-dents. Alors seulement il les mastiqua lentement l'un après l'autre, en commençant méthodiquement par l'extérieur de son assiette. Peu lui importait que la pizza refroidisse, que la sauce-tomate se fige, que le parmesan râpé sèche.

Sa pizza terminée, Raymond s'attaqua à des crackers au fromage, les consommant avec la même lenteur mécanique qu'un robot. Le temps passa. Charlie et Susanna s'étaient retirés depuis longtemps dans leur chambre pour manger leurs pizzas, regarder un peu la télé et se livrer à des occupations plus charnelles, mais Raymond continuait de fixer le petit écran en portant à sa bouche cracker après cracker.

Vint l'heure du « Cinéma de Minuit ». Raymond ne se rappelait pas avoir vu ce film. Sur l'écran, un petit garçon regardait un dessin animé à la télévision. Sa mère entra dans la pièce.

– Johnny Peters! cria-t-elle d'un ton de reproche. C'est

comme ça que tu fais tes devoirs! Éteins-moi ce poste TOUT DE SUITE!

A cet ordre, Raymond se leva, alla éteindre la télé et retourna s'asseoir sur son lit, à l'endroit exact où il s'était tenu sans bouger pendant des heures. Devant lui l'écran luisait doucement d'un éclat laiteux.

Il n'y avait rien d'autre à faire que lire, aussi Raymond ouvrit-il la Sainte Bible. La télé lui manquait.

De la chambre voisine lui parvenaient des bruits étouffés. Il ne comprenait pas le pourquoi de ces halètements, gémissements et grincements de sommier. En fait il ne les entendait même pas, car il provenait de la chambre de Charlie un autre bruit, celui du poste de télé laissé allumé par les amants distraits. Charlie avait la télé. Raymond ne l'avait pas. Il ramassa son sac de crackers et ouvrit la porte de communication.

Sous les couvertures, Charlie et Susanna, tout à leur étreinte passionnée, n'entendirent pas entrer Raymond. Quant à ce dernier, il ne leur prêta aucune attention, fasciné qu'il était par le petit écran où David Letterman s'entretenait avec ses invités. Tout téléphage insomniaque ne manquait jamais le « talk-show » de David Letterman.

Raymond choisit le pied du lit comme perchoir et posa sa boîte de crackers à côté de lui sur une literie dont l'agitation continuait de lui échapper. La boîte se mit à sautiller comme une balle sur une raquette de ping-pong, mais Raymond était suspendu aux lèvres de Letterman. A intervalles réguliers il tendait la main vers ses crackers sans quitter l'écran des yeux, insensible à l'accélération du mouvement sur le lit, tandis que les amants accouraient vers leur plaisir.

Raymond chercha un autre cracker et... trouva un pied à la place. Le pied de Susanna.

La jeune femme poussa un cri de stupeur et redescendit en chute libre de son septième ciel. Elle souleva la tête pour regarder au pied du lit, et découvrit Raymond. Il la regardait en mastiquant son cracker avec une expression parfaitement vide.

– Euh... ça va? dit Susanna avec gêne, et elle lui sourit de peur qu'il ne la croie en colère contre lui et ne prenne peur de nouveau. Raymond lui répondit de la même façon : avec sa caricature de sourire. Ils te montrent leurs dents, tu leur montres les tiennes.

La voix de Charlie se fit entendre de sous les couvertures.
– Ray, c'est toi?
– Charlie, c'est toi? répondit Raymond.
Charlie respira profondément. Avant tout, garder son calme.
– Eh bien, sors de cette chambre, veux-tu?
Raymond se leva et reprit sa boîte de crackers. Il rencontra le regard de Susanna puis, sans un mot, s'en fut de son pas traînant dans sa chambre. La porte se referma derrière lui.
– Va le voir, dit Susanna à Charlie.
– Pourquoi?
La jeune femme alluma la lampe de chevet. Charlie grogna en se protégeant les yeux de la lumière.
– Va le voir, Charlie, répéta Susanna d'un ton plus sec. Il a peur. Il ne doit même plus savoir où il est. Et en plus tu l'as vexé en le renvoyant comme ça dans sa chambre.
Fouetté par la vérité de ces mots, Charlie se dit qu'il ne pouvait faire autrement que d'obéir à Susanna, ce qui n'arrangeait pas le sentiment de frustration qu'il éprouvait déjà. Il n'avait jamais été un chaud partisan du *coïtus interruptus*. Il se leva en grommelant, enfila un jeans et gagna la chambre de Raymond, tandis que Susanna allait se faire couler un bain.
– Je croyais t'avoir dit de regarder la télé, grogna Charlie.
– La mienne est éteinte. Je suis venu regarder la tienne, expliqua Raymond.
– Tu ne peux pas, je suis occupé, dit Charlie. Il aperçut la Bible sous le carton de la pizza. Tiens, lis ton livre.
– Je l'ai déjà lu.
Charlie soupira. Il repéra un tas de brochures publicitaires sur la table.
– Et ça, tu l'as lu? demanda-t-il.
Raymond hocha la tête. Charlie commençait à perdre patience. Il avait du mal à admettre que Raymond ait lu, vraiment lu, tout ce qui pouvait l'être dans cette pièce. Non, son frère avait dû se contenter de tourner les pages, lisant quelques lignes par-ci par-là. Charlie Babbitt n'allait pas faire du baby-sitting auprès d'un quadragénaire, quand dans la chambre voisine l'attendaient des

occupations autrement plus passionnantes! Il aperçut soudain l'annuaire téléphonique de Cincinnati et s'en empara.

– Et ça, tu l'as lu aussi? Il plaça l'épais volume sous le nez de Raymond.

– Non, reconnu ingénument Raymond.

– Parfait. Charlie laissa choir l'annuaire sur les genoux de son frère. Eh bien, voilà de la lecture. Et reste dans ta chambre, c'est compris?

Pas de réponse. Raymond regarda l'annuaire sur ces genoux, le mur en face de lui, la moquette, il regarda partout sauf dans la direction de Charlie, debout à côté de lui.

– Eh bien, qu'est-ce que tu as à rouler des yeux comme un crétin! cria Charlie. Réponds-moi! Tu as compris ou pas?

– J'ai compris ou pas, répondit Raymond d'une voix à peine perceptible.

– Très bien. Rassuré, Charlie quitta la pièce, laissant la porte de communication entrouverte. Il trouva Susanna dans son bain, sa sombre chevelure ramenée en chignon sur sa tête, les épaules et le cou nimbés de vapeur. Mais l'expression de son visage n'avait rien de bienveillant ni d'aimable. Elle leva vers Charlie un regard de feu à vous glacer la moelle.

– Tu vas retourner là-bas et t'excuser! gronda-t-elle.

Charlie la regarda, bouche bée.

– Quoi? s'écria-t-il. Tu veux que je le berce comme un bébé, peut-être? Je ne suis pas sa mère, nom de Dieu!

– Non! Tu es son frère. Et son petit frère, qui plus est.

– Et alors, ça signifie quoi?

– Que tu pourrais au moins lui témoigner du respect!

Du respect? A un débile comme Raymond? Elle rêvait, Susanna, ou quoi? Ces Italiens étaient décidément des originaux! Charlie regarda attentivement Susanna. Mais non, elle ne plaisantait pas.

– Il n'est peut-être pas normal, Charlie, mais ce n'est pas de sa faute. On ne peut pas en dire autant de certains d'entre nous.

Charlie s'efforçait de garder son calme. Depuis qu'il connaissait Susanna, son machisme en avait pris un coup. Il encaissait mal de se faire sermonner par une femme, fût-elle Susanna.

– Tu sais très bien qu'il est loin d'être un crétin, Charlie, poursuivit la jeune femme. Il aurait pu être très brillant sans cette... cette maladie... Sa voix prit une intonation plus douce... Il aurait pu être ton grand frère... quelqu'un sur qui tu aurais pu compter... de qui tu aurais pu apprendre...

Charlie leva les mains, paumes ouvertes, pour stopper cette avalanche de sentiments.

– Ne t'emballe pas, bébé, dit-il d'un ton conciliant. Tu fais toute une histoire de pas grand-chose.

Pas grand-chose! Il n'avait donc pas écouté un mot de ce qu'elle avait dit? Son tempérament méditerranéen jaillit comme le Vésuve.

– Comment peux-tu traiter ton frère de « crétin »? siffla-t-elle comme lave en fusion. Si tu l'as amené ici pour l'insulter, tu ferais mieux de le ramener là-bas!

Charlie retint son souffle en pensant soudain que c'était peut-être là l'ouverture qu'il avait attendue. Il hésita pendant quelques secondes, et puis se hasarda.

– Et si... si je ne le ramenais pas?

– Comment ça, si tu ne le ramenais pas? demanda Susanna en ouvrant de grands yeux.

– Eh bien, disons que je l'ai emmené et que... je le garde avec moi, répondit Charlie en la regardant dans les yeux.

La déclaration de Charlie stupéfia Susanna.

– Et... et pourquoi ferais-tu ça?

– Je ne sais, avoua Charlie. Peut-être parce que je lui en veux...

– A Raymond?

– Non, à mon père.

Susanna n'y comprenait plus rien. Ce que racontait Charlie n'avait pas de sens.

– Tu en veux à ton père, donc tu gardes Raymond avec toi? Excuse-moi, mais je n'entends rien à ce que tu me dis.

Charlie se mordit la lèvre. Il détourna son regard de Susanna.

– Oui, jusqu'à ce que... Il hésita... jusqu'à ce que je récupère mon bien.

Susanna plissa les yeux. Elle commençait à entrevoir un sens aux paroles de Charlie.

– Ton bien? demanda-t-elle.
– Oui... mon père a laissé à Raymond... il lui a laissé de l'argent.
Ah, de l'argent! Elle saisissait de mieux en mieux. Et sa colère augmentait d'autant.
– Vraiment? Et combien d'argent lui a-t-il laissé?
Charlie ne répondit pas.
– Charlie, combien d'argent ton père a-t-il légué à ton frère? demanda Susanna avec une lenteur persuasive.
Charlie prit une profonde inspiration et la regarda :
– La totalité de l'héritage, répondit-il. Soit plus de trois millions de dollars, frais de succession payés.
Un raz de marée se produisit dans la baignoire, tandis que Susanna se levait brusquement dans un ruissellement d'ondine jaillissant de l'eau. Charlie se retrouva trempé. Sans prendre le temps de s'essuyer, Susanna se saisit de son chemisier et l'enfila, ses doigts mouillés glissant sur les petits boutons de nacre.
– Merde! grogna Charlie. Mais qu'est-ce qui te prend...
Susanna était déjà dans la chambre, se rhabillant avec une rage méthodique. Charlie s'ébroua comme un chien mouillé et la rejoignit.
– Écoute, chérie, c'est ridicule... qu'est-ce que tu fais?
Susanna faisait sa valise. Elle avait sorti son sac de voyage du placard et y jetait pêle-mêle les quelques affaires qu'elle avait emportées.
– Tu comptes partir comme ça... au milieu de la nuit? Charlie partit à rire en espérant qu'elle en rirait avec lui, sensible à l'absurdité de la situation. Enfin qu'est-ce que ça pouvait bien lui faire qu'il garde avec lui son frère pendant un jour ou deux? Il n'y avait pas de quoi en faire une maladie, non? Et puis, quand il aurait mis la main sur ce qui lui revenait de droit – oui, de droit – il y aurait pas mal de bon temps en perspective pour eux deux. Charlie Babbitt n'était pas un avare. Il allait l'ensevelir sous les cadeaux, sa Susanna. Il désirait seulement qu'elle se calme assez pour l'écouter. Il était certain qu'elle tomberait d'accord avec lui. Certain qu'elle l'aiderait.
Mais Susanna n'était plus d'humeur à se calmer ou écouter, et encore moins à approuver le plan de Charlie. Elle balança sa trousse de maquillage dans son sac, en zippa la fermeture éclair d'un coup sec.

– Allez, arrête, Susanna! protesta Charlie. J'ai besoin de toi!

La jeune femme fit volte-face, les yeux étincelant de colère.

– Ah oui? Et pour faire quoi? cria-t-elle. Du baby-sitting? Du maternage? Je n'ai pas trois millions de dollars, Charlie! Non, tout ce dont tu as besoin se trouve là-dedans! Elle désigna la porte entrouverte, par laquelle ils pouvaient voir Raymond assis au bord de son lit, prenant frénétiquement des notes dans l'un de ses calepins en leur jetant de temps à autre des regards apeurés.

Cette vision pinça le cœur de Susanna. Mais elle n'allait pas laisser sa compassion faire le jeu de Charlie. Elle empoigna son sac de voyage, tendit la main vers son sac à main, mais Charlie s'en saisit le premier et le maintint hors de sa portée, tandis que la jeune femme essayait de le lui arracher.

– Attends une minute! dit Charlie. Peux-tu me dire ce que j'ai fait?

– Donne-moi... ce... sac! siffla Susanna entre ses dents.

– Dis-moi quel crime j'ai commis? Dis-le moi!

Il relâcha sa prise sur le sac, et Susanna parvint à le lui ravir.

– Tu veux le savoir? cria-t-elle. Tu utilises Raymond! Tu m'utilises! Tu utilises tout le monde!

Ces paroles firent à Charlie l'effet d'une douche froide.

– Je vous utilise, toi et Raymond? demanda-t-il d'une voix sans timbre.

– Oui, répondit Raymond de sa chambre.

– Ta gueule! cria Charlie. Il se tourna vers Susanna. Il répond à une question que je lui ai posée il y a une heure! Il alla jusqu'à la porte et l'ouvrit en grand. A son tour, maintenant, de donner libre cours à sa colère. Ça faisait trop longtemps qu'il se contenait.

– Regarde-le! cria-t-il à Susanna, tandis que Raymond, terrorisé, se bouchait à deux mains les oreilles en chuchotant désespérément. Qu'est-ce qu'il pourra faire de tout cet argent? Il n'a même pas idée de ce que ça représente!

Susanna posa son sac et fit un pas vers la chambre de Raymond pour tenter de le réconforter, mais Charlie lui barra le chemin.

– Non, il y a trois millions de dollars qui dormiront sous ses fesses et celles de ce foutu toubib... jusqu'à la fin de ses jours!

Susanna jeta à Charlie un regard d'iceberg. Elle lui demanda d'une voix tout aussi glacée :

– Oui, et tu préfères le lui voler, n'est-ce pas?

Piégé par cette vérité élémentaire, Charlie resta coi. Comme toute vérité pas bonne à entendre, celle-ci faisait mal. Susanna le repoussa et entra dans la chambre de Raymond. Charlie la suivit.

– Et quand tu seras parvenu à tes fins, qu'est-ce que tu feras de lui? demanda-t-elle du même ton froid comme une lame.

Charlie baissa les yeux.

– Eh bien, je le ramènerai à Wallbrook... ou dans une autre maison de repos encore plus belle. Qu'est-ce que ça changera pour lui?

– Rien, n'est-ce pas, si ce n'est que tu lui auras pris son argent, rétorqua Susanna.

– Comment ça, son argent? explosa Charlie, oubliant toute retenue. Et ma part, alors? On a eu le même père, non? Est-ce que ce salaud m'a laissé la moitié? Où est la moitié qui me revient? Où elle est?

– Raymond, tu vas venir avec moi, dit Susanna d'une voix décidée en tendant la main vers Raymond.

Mais Charlie empoigna Raymond par le bras et l'écarta brutalement de la jeune femme, en même temps qu'il levait sur elle un poing menaçant.

Susanna se figea. Elle regarda Charlie dans les yeux, regarda son poing levé. Elle n'avait pas besoin d'en voir plus, d'en savoir plus. Elle ne resterait pas une minute de plus, même pas pour sauver Raymond de son pourri de frère. Elle tourna les talons, ramassa son sac et s'en fut vers la porte. Charlie lâcha Raymond et courut après elle.

– Bon Dieu, j'ai droit à cet argent! J'y ai droit! cria-t-il.

Alors qu'elle parvenait à la porte, Susanna se retourna vers Charlie.

– Tu es fou! dit-elle. Tu ne comprends donc pas que tu as enlevé cet homme? C'est un kidnapping, Charlie!

L'accusation stoppa net Charlie.

– Comment pourrait-on m'accuser de kidnapper mon propre frère?

– Penses-tu que le Dr Bruner va attendre tranquillement que tu lui ramènes son patient?

Mais Charlie ne voulait pas entendre parler du Dr Bruner. Il désirait seulement se justifier aux yeux de Susanna, se faire comprendre d'elle. Il essaya de bien « cibler » son argument, jouant sur le penchant à la compassion de sa compagne.

– Mon père m'en a fait baver pendant toute ma jeunesse... et il continue! Maintenant, dis-moi ce que tu veux de moi?

Susanna ouvrit la porte.

– Plus rien, répondit-elle. Sur ce, elle disparut dans le couloir.

Charlie resta un instant à contempler la porte ouverte, comme s'il avait du mal à croire ce qui venait de se passer. Puis, d'un coup de pied rageur, il claqua la porte. Le souffle court, il tremblait de tout son corps.

Foutue bonne femme! Un sale tour qu'elle venait de lui jouer là! Il ramassa son paquet de Lucky sur la table de nuit et en alluma une d'une main tremblante. Il tira profondément sur la cigarette, laissant la fumée emplir ses poumons, attendant l'effet calmant du narcotique. Dans quelques secondes il se sentirait mieux.

Susanna était partie. Parfait. Il restait seul avec Raymond. Après tout, c'était mieux ainsi, se mentit-il. Il souffrait déjà de l'absence de la jeune femme. Il dut faire un gros effort pour se remettre, respirer de nouveau normalement.

Raymond. Il ferait mieux d'aller voir Raymond au lieu de se laisser abattre. Ce qui venait de se passer avait peut-être complètement bouleversé Raymond, et Dieu sait ce qui l'attendait. Charlie se hâta vers la chambre voisine, non sans prendre le temps de se composer un grand sourire rassurant. Mais ce qu'il découvrit en entrant dans la chambre effaça aussitôt le « ouistiti-sexe » étalé sur sa bouche.

Raymond Babbitt se tenait au centre de la pièce, une jambe levée dans l'attitude du lanceur de balle. Il s'était retiré de la réalité pour entrer dans un monde où il se sentait protégé. Pour lui, plus que pour Charlie avec sa cigarette, c'était une question de vie ou de mort. Pour survivre, il devait passer de l'autre côté du miroir, là où il incarnait un joueur de base-ball. Son visage exprimait toute la détermination du lanceur.

Il laissa fuser la balle. Au bruit imaginaire de la batte frappant la balle, il fit mine de s'élancer puis s'immobilisa de nouveau.

– Balle fausse!

Charlie observait la scène en comprenant que Raymond s'était réfugié dans un imaginaire où il ne pourrait le suivre.

– Kidnapping, hein? murmura-t-il, sachant que Raymond ne l'entendrait même pas s'il criait. Ce serait tellement plus simple, Ray, si tu pouvais me signer un chèque.

Raymond vérifiait ses bases. La situation était critique pour les joueurs de la première et de la troisième base. Deux lancers, trois renvois de la batte. C'était à lui, Raymond Babbitt, qu'il appartenait de redresser la situation des Rouges de Cincinnati...

Il s'apprêta à relancer.

Chapitre 6

A quelle heure Raymond gagna ou perdit son match de base-ball, Charlie ne le sut jamais, car il s'endormit, épuisé, une heure après le départ en fanfare de Susanna.

Quand il se réveilla quelques heures plus tard, le jour était levé. Il alla voir Raymond dans sa chambre. Son frère était déjà à attendre, assis au bord de son lit. Il était habillé, les cheveux vainement aplatis avec de l'eau. Il paraissait calme, la tête bizarrement inclinée de côté. Charlie se promit de lui acheter une chemise et du linge de corps, ainsi qu'un peigne et une brosse à dents. Mais peut-être cela ne serait-il pas nécessaire. Si tout se passait comme il l'espérait, ils seraient de retour à Wallbrook dans la journée. Charlie serait bientôt fixé, dès qu'il pourrait avoir au téléphone le Dr Bruner, et mettre cartes sur table.

Il ne comptait pas séjourner plus longtemps à Cincinnati. Une fois qu'il aurait négocié avec le tuteur de Raymond, et ramené son frère à la maison de repos, il regagnerait Los Angeles. Pas mal d'obligations l'attendaient là-bas, sans parler d'une fichue bande de créanciers plus voraces que des loups.

Mais d'abord le petit déjeuner. Il y avait, à quelques pas du motel, une de ces gargotes modernes répondant au doux nom de cafétéria. Raymond suivit Charlie à l'intérieur en traînant les pieds comme s'il avait chaussé des patins sur un parquet ciré. Ils prirent place à une table épargnée par les giclées de ketchup. Il était encore tôt, et il n'y avait que quelques chauffeurs-livreurs au comptoir, trempant des donuts dans leur café noir.

– Bonjour, leur souhaita une jolie blonde de serveuse en venant à leur table avec des serviettes et des couverts. Ses grands yeux bleus se fixèrent avec intérêt sur le beau Charlie.

Charlie releva la tête et trouva très charmante l'auteur du bonjour, jeune, remarquablement roulée. Il sortit son sourire numéro quatre, le plus juvénil.

– Belle journée, n'est-ce pas? dit-il avec un regard éloquent sur la silhouette.

La serveuse eut une moue coquette et pencha son opulente poitrine au-dessus de la table pour lui tendre la carte.

Raymond, dont le visage était tout près des seins de la jeune femme, considéra avec une vive attention le généreux buste, mais la blonde, toute son attention à Charlie, ne le remarqua pas.

– Merci, dit Charlie en prenant la carte. Qu'est-ce qu'il y a de bon au menu?

– A part moi..., répliqua-t-elle en gloussant.

– Hum! Charlie la considéra avec un regain d'intérêt. On se demandait ce qu'il y avait de passionnant dans le coin... le soir?

– Sally Dibbs, dit soudain Raymond, lisant le nom de la serveuse sur le badge accroché à son chemisier. Numéro quarante-six, onze, quatre-vingt-douze.

La fille ouvrit de grands yeux en regardant Raymond pour la première fois.

– Co... comment connaissez-vous mon numéro de téléphone? bégaya-t-elle.

Charlie considéra Raymond avec stupeur. Surprenant son regard, Raymond se raidit, certain d'avoir commis une faute. Il baissa les yeux.

– L'annuaire du téléphone, marmonna-t-il. Tu m'as dit de le lire.

La blonde regarda tour à tour les deux hommes avec un air de profonde perplexité. Pour détendre l'atmosphère, Charlie choisit le parti du rire, en espérant que son rire sonnerait juste.

– Il... euh... il a une mémoire d'éléphant, expliqua-t-il sans conviction.

– Je repasse prendre votre commande, leur dit la serveuse, et elle s'en fut d'un pas trop vif pour qu'on apprécie le roulement de ses hanches. L'un de ces deux hommes était manifestement très bizarre.

Charlie Babbitt se rappelait maintenant ce que lui avait dit le Dr Bruner de Raymond. « Un savant », des « capacités surprenantes ». A Wallbrook, Raymond lui avait donné un exemple de sa mémoire en citant les premiers vers de *La Nuits des rois*, et Charlie ne doutait plus à présent que son frère lui aurait certainement débité toute la pièce de la même voix monotone s'il ne l'avait interrompu. Il avait trouvé ça assez fortiche, mais sans grand intérêt.

Cette fois, le problème était différent. Il s'agissait de chiffres. Et la mémoire des chiffres pouvait être utile, très utile. Charlie alluma une cigarette et tira une longue et pensive bouffée, tandis qu'il considérait Raymond avec un nouvel intérêt.

– Comment tu fais pour te rappeler?

– Je le fais, répondit doucement Raymond. Il pensait encore que son frère était en colère contre lui parce qu'il avait fait quelque chose de mal. Ses yeux balayaient la table en prenant garde de ne pas se poser sur Charlie.

Et Charlie comprenait ce que ressentait Raymond. Pour la première fois, il avait l'intuition de ce qui se passait dans la tête de Raymond. Il dit d'une voix chargée d'approbation :

– C'est très bien, Raymond. Ça me plaît. Et tu as pu mémoriser tout l'annuaire?

– Non, répondit Raymond, d'une façon que Charlie sut traduire par oui. Décidément il commençait à comprendre son frère. Il lui fit un grand sourire, que Raymond lui rendit comme il avait appris à le faire. Tu me le fais, je te le fais. Il n'avait plus peur. Il était pardonné.

– Faim? demanda Charlie en ouvrant la carte.

Raymond approuva de la tête.

– Qu'est-ce que tu veux?

Vouloir? « Vouloir » entrait dans la catégorie des « préférer », « aimer », et autres concepts sans signification pour un autiste. Raymond ne savait pas *comment* on voulait; ce mécanisme lui faisait défaut. Le seul acte volontaire dont il était capable consistait à élever des défenses immédiates, à suivre ses programmes télévisés, à placer son lit dans la position adéquate, à faire en sorte que précisément ne se pose pas le problème du choix, de la préférence et du vouloir. Il ne put donc, en réponse à la question de Charlie, que le regarder sans comprendre.

– Ray, dit Charlie, patient. Que veux-tu manger?

– On est mardi, il y a des pancakes au petit déjeuner avec du sirop d'érable, récita-t-il, se référant aux habitudes de Wallbrook.

– Le sirop d'érable, c'est agréable, dit Charlie en riant.

Raymond aima la rime.

– Le sirop d'érable, c'est agréable, répéta-t-il. Mais soudain une expression apeurée passa sur son visage, tandis qu'il balayait du regard les quatre coins de la table.

– Bien sûr, ils... ils ont pris des cure-dents, dit-il, complètement paniqué.

– Écoute, dit Charlie, les cure-dents, c'est bon au motel, pour la pizza. Mais dans un restaurant, on mange avec une fourchette.

– Ils ont pris les cure-dents, répéta Raymond. Manifestement une nouvelle crise était en route, et Charlie se hâta de la prévenir.

– Tu n'as pas besoin de cure-dents pour les pancakes, dit-il d'une voix pressante. Les morceaux glisseraient.

Mais Raymond restait sourd aux arguments logiques. Il changea de tactique.

– Et, bien sûr je n'ai pas mon sirop d'érable, dit-il d'une voix nasillarde.

– Du calme, Ray. Tu n'as pas encore tes pancakes, n'est-ce pas?

Charlie n'avait pas encore compris que Raymond obéissait à des raisonnements de son cru qui n'avaient pas grand-chose à voir avec les déductions qu'on pouvait attendre d'une personne normale.

– Je devais avoir du sirop d'érable et... il... il n'est pas... commença-t-il à marmonner, plongeant dans un de ses monologues paranoïaques.

Charlie sentait sa résolution de rester calme en toutes circonstances fondre comme neige au soleil.

– Nous n'avons pas encore passé notre commande, dit-il d'un ton sec. Tu as fait peur à la serveuse...

– Bien sûr, nous allons rester ici toute la matinée, sans sirop d'érable et sans...

Et brusquement Charlie Babbitt en eut assez. Lui, l'élégantissime Charlie Babbitt, se retrouvait au bord de l'humiliation dans un lieu public. Il était coincé avec ce malade à Cincinnati, alors que de tous côtés le navire faisait eau. Susanna l'avait plaqué, son affaire à Los Angeles était comateuse, et la perspective d'un accord avec le Dr Bruner était aussi utopique que le bonheur sur terre.

Il en conçut une haine subite à l'égard de son frère, jalousant jusqu'à la sécurité dans laquelle baignait ce débile, à Wallbrook, où il était entouré de soins, préservé de trois millions de dollars, alors que lui, Charlie, devait se contenter d'une bagnole d'occase! Son père, qui lui avait toujours tout refusé, avait tout donné à un malade mental. Il avait légué tout son argent à un imbécile chronique pour qui le mot « argent » n'avait pas de sens. Et ça dans le seul but de frustrer son benjamin de fils, Charlie Babbitt! Tendant la main par-dessus la table, il se saisit du bras de Raymond et le serra violemment en parlant d'une voix basse et rauque :

– Les gens nous regardent, d'accord? Comme si tu étais le roi des crétins! Alors tu vas la boucler, compris?

Raymond se tut sur-le-champ. Satisfait, Charlie le lâcha et Raymond se frotta le bras avec un regard halluciné sur son frère. Puis il plongea dans son sac à dos et en tira un calepin à la couverture rouge, que Charlie n'avait pas encore vu, et dans lequel il se mit à prendre des notes d'une écriture frénétique en lançant des coups d'œil furieux à Charlie.

– Ne pas avoir de sirop d'érable est un événement dramatique, lança Charlie, sarcastique, à un Raymond insensible au sarcasme.

– C'est... c'est la liste des Blessures Graves... le 15 juillet 1988, Charlie Babbitt m'a fait très mal au bras...

Un sentiment de culpabilité envahit Charlie, ne faisant qu'accroître sa colère. Il fit cependant l'effort de se dominer et tendit la main vers le calepin.

– Fais-moi voir ça.

Cette fois Raymond prévint une nouvelle catastrophe. Ils s'écarta vivement, mettant le calepin hors d'atteinte.

– D'accord, d'accord, laisse tomber, dit Charlie, battant en retraite devant la détermination de Raymond. Ha! Ha! s'écria-t-il, dans l'espoir de rétablir un pont par un procédé connu de Raymond.

Mais celui-ci s'était retiré dans un monde à lui, seul

avec sa liste des Blessures Graves. Entourant le calepin d'un bras protecteur, il continuait d'écrire sans lever un seul instant les yeux de sa page.

– Tu as le numéro dix-huit dans la liste des Blessures Graves, dit-il tout bas. En 1988.

***

Il était neuf heures trente passées. Le Dr Bruner devait être à son cabinet, à présent. Charlie gagna la cabine téléphonique avec une pleine poignée de pièces de monnaie, laissant Raymond attablé devant une assiette de pancakes coupés en dés munis d'un cure-dents. Il en aurait pour un moment. Charlie avait raison : les morceaux de pancakes glissaient du cure-dent.

Charlie composa le numéro de la maison de repos. Puis, tandis que s'égrenait le chapelet de bips, il se tourna de façon à garder les yeux sur Raymond. Il se sentait nerveux, la bouche sèche et les mains moites. Depuis son départ de chez lui à l'âge de seize ans, Charlie s'était débrouillé tout seul. Il n'avait pas réussi à proprement parler mais il avait fait plus que survivre.

Cependant il n'avait jamais transgressé la loi. Débrouillard, certes, voire combinard, mais jamais délinquant. A présent les paroles de Susanna tournoyaient dans sa tête comme un essaim d'abeilles en colère. Elle l'avait accusé d'avoir enlevé Raymond, de manipuler tout le monde, d'être indifférent à la souffrance d'autrui. Bigre! Le kidnapping était un crime fédéral, punissable d'emprisonnement à vie. Mais s'appliquait-il à un frère?

Le téléphone sonna plusieurs fois à l'autre bout de la ligne avant qu'une voix féminine ne réponde. Charlie demanda à parler au Dr Bruner. Quelques secondes plus tard, il reconnut la voix du docteur.

– Docteur Bruner, ici Charlie Babbitt.

Il y eut une courte pause, puis la voix demanda calmement :

– Où êtes-vous, Charlie?

– La question n'est pas là, répliqua Charlie. Ce qui importe, c'est en compagnie de qui je suis.

Il jeta un coup d'œil en direction de Raymond. Son frère venait de faire tomber son cure-dents par terre. La petite pièce de bois avait roulé sous la table, et Raymond se penchait en la regardant d'un air perplexe.

– Vous devez le ramener, monsieur Babbitt, dit le docteur.

– Oui, bien sûr, répondit Charlie, aimable. Dès que j'aurai obtenu ce qui me revient.

– Et c'est quoi selon vous?

A la table, Raymond avait pris sa décision. Il descendit lentement de sa chaise et s'en fut à quatre pattes à la recherche de son cure-dents.

– Un million cinq cent mille dollars, monsieurs. Je ne suis pas vorace. Je veux seulement ma part. Ray pourra entreprendre une collection de cure-dents en or massif.

– Je ne peux pas faire cela, monsieur Babbitt. Vous le savez bien.

Raymond sortit de sous la table en serrant entre ses doigts le cure-dents souillé des mille saletés du carrelage. Et à sa façon, il avait l'air indiciblement heureux.

– Jette-moi ce truc! lui cria Charlie. Tu ne vois pas qu'il est dégueulasse!

– Ramenez-le, monsieur Babbitt, dit la voix du Dr Bruner. Cette fois le ton était autoritaire. Ramenez-le tout de suite!

La situation se présentait moins bien que Charlie l'avait imaginé.

– Écoutez, dit-il, le cœur battant, il ne s'agit tout de même pas d'un enlèvement.

Raymond regardait misérablement en direction de son frère, tenant à la main ce cure-dents nécessaire à la poursuite de son repas, attendant l'approbation de Charlie. Mais non, pas question, répondait ce dernier en secouant la tête.

– Je le sais bien, dit le Dr Bruner. Votre frère n'a pas été placé d'office chez nous. Il peut donc partir comme bon lui semble. – Charlie sentit un immense soulagement l'envahir. – Mais le problème n'est pas là, poursuivit le psychiatre. Comprenez que Raymond a besoin de nous, parce que nous savons ses besoins pour l'avoir suivi depuis des années. Vous n'êtes pas qualifié pour vous occuper de lui, monsieur Babbitt.

Charlie, mécontent du tour que prenait l'entretien, perdit une fois de plus patience.

– Ne sortons pas du sujet, docteur Bruner, dit-il d'un

ton sec. J'ai le droit à une part de l'héritage de mon père. Si vous ne voulez d'un accord honnête avec moi, j'emmènerai Raymond à Los Angeles. Je le placerai dans un établissement quelconque et j'engagerai une procédure pour obtenir le droit de tutelle.

Tristement, Raymond laissa retomber sa main. Charlie ne voulait pas qu'il se serve de son cure-dents. Mais il ne pouvait tout de même pas abandonner ses pancakes. Il s'éloigna en direction du comptoir derrière lequel se tenait la serveuse. Il tenait son cure-dents à la main, quémandant en silence qu'on lui en donne un autre. Comme personne ne lui prêtait attention, il entreprit d'en trouver un lui-même.

– Je suis son seul parent vivant, continua Charlie au téléphone en gardant un œil inquiet sur Raymond qui, il le voyait bien, n'allait pas tarder à lui refaire honte en public. Aussi, que préférez-vous? Que nous allions devant les tribunaux pour savoir qui est le mieux désigné pour être son tuteur ou bien faire un marché avec moi?

Raymond était devenu le centre d'intérêt des quelques clients se trouvant là. La serveuse tenait sa main devant la bouche pour étouffer son fou rire. Ce geste enragea subitement Charlie. Non, mais d'où sortait-elle, celle-là, pour se moquer de Raymond Babbitt?

– Cet argent ne vous appartient pas, monsieur Babbitt, dit le Dr Bruner. Juridiquement, vous n'avez aucun droit... Mais Charlie était distrait par ce qui se passait au comptoir... Des cure-dents! cria-t-il. Il veut des cure-dents!

– Je ne peux pas faire ce que vous demandez, monsieur Babbitt, poursuivit d'une voix ferme le docteur. Je ne le peux pas!

Sally, la serveuse, tendit à Raymond une boîte de cure-dents. La serrant précieusement contre sa poitrine, il regagna sa table pour terminer ses pancakes.

– Dans ce cas, nous nous verrons au tribunal! aboya Charlie en raccrochant bruyamment le récepteur. Furieux, il regagna la table où Raymond épinglait de petits morceaux de crêpes avec les cure-dents de la boîte.

– Allez, viens, ordonna-t-il en faisant signe à Raymond de se lever. Le ton de sa voix interdisait toute opposition.

Raymond se leva maladroitement, et renversa la boîte de cure-dents qui allèrent s'éparpiller par terre.

– Merde! explosa Charlie.

Mais Raymond contemplait le tas de petits bouts de bois.

– Quarante-six, dit-il tranquillement. Quarante-six, quarante-six, quarante-six.

– Qu'est-ce que tu racontes encore? demanda Charlie d'un ton rogue.

– Les cure-dents, dit Raymond.

– Ray, il y a plus de quarante-six cure-dents par terre.

– Quarante-six, quarante-six, quarante-six... en tout, cent trente-huit cure-dents.

Charlie, bouche bée, considéra l'éparpillement. Cent trente-huit, hein? Il n'en douta pas un seul instant. Et Raymond les avait comptés par tiers, soit trois fois quarante-six. Mais comment? Bon, ce n'était pas le moment de se poser un problème d'arithmétique. Ils avaient un avion à prendre. Sortant un billet de vingt dollars de sa poche, Charlie le jeta sur la table. Ça devrait régler le petit déjeuner et une boîte de cent trente-huit cure-dents.

– Allons-y.

***

Sur la route de l'aéroport, Raymond, assis sur la banquette avant à côté de Charlie, contemplait le paysage en marmonnant dans sa barbe une incompréhensible litanie destinée à le protéger. Charlie ne tenta pas de le distraire de son incantation magique. Il avait ses problèmes personnels, et son frère pouvait bien marmonner aussi longtemps qu'il le voudrait.

Charlie avait perdu un temps précieux à Cincinnati. Dieu seul savait ce qui avait pu se passer pendant son absence. Cette affaire des Lamborghini n'avait pas fini de lui donner des sueurs. Dès qu'il eut laissé la Buick au parking de l'aéroport, Charlie s'empressa d'installer Raymond dans l'un des fauteuils de la salle d'attente dont les accoudoirs étaient munis de petits écrans de télévision. Puis, lui laissant un paquet de chips et un de crackers pris à un distributeur automatique, il s'en fut téléphoner à « BABBITT EXPO ».

Charlie utilisa sa carte téléphonique et appela Lenny Barish. Celui-ci, au son de la voix de Charlie, en gémit de reconnaissance. Il avait tenu le fort tout seul, et les Apaches se rapprochaient dangereusement. A peine Charlie lui avait-il souhaité le bonjour que Lenny lui raconta ses malheurs.

– C'est vrai, les mécaniciens ne travaillent pas le dimanche, l'interrompit Charlie d'un ton sarcastique. Tu vas lui dire de les trouver, ces adaptateurs, et de les trouver aujourd'hui, sinon c'est moi qu'il trouvera sur son chemin, et pas pour son bien, crois-moi.

Il continua d'écouter les lamentations de Lenny tout en surveillant la salle d'attente. Raymond n'avait pas bougé de son fauteuil. Il regardait la télévision en mastiquant ses crackers.

– Lenny, il n'y a pas de problème du côté du prêteur. Wyatt ne sait pas où sont les voitures. Quand nous aurons dégotté ces foutues pièces, tout rentrera dans... Lenny se plaignait maintenant des acheteurs qui le harcelaient sans merci... Lenny, il faut absolument les retenir. S'ils se retirent, comment je paierai Wyat? Et comment je rembourserai leurs arrhes à ces types?

L'oreille grésillant des plaintes de son associé, Charlie posa son front brûlant contre la vitre froide de la cabine. Bon Dieu, les gens ne savaient donc plus réfléchir? A quoi donc leur servait leur cervelle?

– Il faut les vendre, ces bagnoles! aboya-t-il dans le récepteur. Réfléchis! Parle-leur! Supplie-les!... Il commençait à ressentir une méchante migraine, et la décision qu'il devait prendre ne risquait pas de la dissiper... Dis-leur qu'on leur fait une remise supplémentaire de dix mille. Ça réduit de moitié notre part de bénéfices, mais dis-leur que ça représente tout ce qu'on gagne dans l'affaire. Compris?... Charlie jeta un coup d'œil à son bracelet-montre : il était l'heure d'embarquer... Écoute, je serai à L.A. dans trois heures. Je les appellerai. Oui, de l'aéroport, je te le promets. D'accord, d'accord. Tiens bon, petit. Tiens bon.

Il raccrocha et consulta de nouveau sa Rolex. Plus que dix minutes pour prendre l'avion. Et Raymond se déplaçait lentement. Pressé d'accélérer, il s'arrêtait. Charlie le rejoignit à son fauteuil.

– Alors, comment va Wapner? demanda-t-il. Qui a gagné?

Raymond ne releva pas les yeux du minuscule écran.
– Le plaignant. Dommages et intérêts de trois cent quatre-vingt-dix-sept dollars, plus les frais de justice.
– Super, dit Charlie avec un feint enthousiasme. Ce type avait une bonne tête.
Raymond leva la tête, l'air dubitatif.
– C'était une femme. Elle s'appelait Ramona Quiggly.
– On n'a plus que six minutes, dit Charlie. Dépêchons-nous.
Empoignant son sac de voyage, il prit la direction des portes de départ, Raymond trottinant derrière lui, les bras ballants et la tête inclinée sur le côté, dans cette position que Charlie commençait à associer à cet état de « non-peur » dont lui avait parlé le Dr Bruner. Elle signifiait que, pour le moment, tout allait bien, même si le moindre signe de menace pouvait subitement plonger Raymond dans la panique.
Le couloir menant aux portes d'embarquement était flanqué sur un côté de longues baies vitrées donnant sur les pistes où les avions attendaient ou déversaient leurs cargaisons humaines. Charlie désigna un appareil en lançant par-dessus son épaule :
– C'est le nôtre, celui-là. Il est beau, hein? Tu n'en as jamais vu un...
Un sixième sens fit se retourner Charlie. Raymond s'était arrêté net, les yeux rivés sur l'avion. De ses lèvres s'échappait ce marmonnement annonciateur de grande peur.
– Bien sûr... cet... cet avion s'est écrasé en août. Le 16 août 1987. Les cent cinquante-six passagers ont tous... tous...
– C'était un autre appareil, Ray, s'empressa de dire Charlie. Celui-ci est superbe. Il est tout ce qu'il y a de plus sûr.
– Écrasé avec... avec cent cinquante-six personnes à bord...
Pourquoi faut-il que ça tombe sur moi? se demanda Charlie avec désespoir en vérifiant l'heure. Il leur restait quatre minutes!
– On est obligés de prendre l'avion, Ray, dit Charlie d'une voix pressante. Nous sommes dans un aéroport. C'est d'ici que s'envolent les avions.

Mais Raymond demeurait figé, le regard rivé sur l'appareil.

– Cet accident? demanda Charlie. C'était la même compagnie que celle-ci? Le même nom?

– Même nom, répondit Raymond.

– J'ai jamais aimé cette compagnie, approuva Charlie. Il vérifia sur le tableau des départs à quelle heure était le prochain vol pour Los Angeles.

– Que penses-tu d'American Airlines à six heures cinquante...

– Écrasé, dit Raymond d'une voix tremblante. Il tendit la main vers son sac à dos pour y prendre la liste des Événements Dramatiques et apporter la preuve de ce qu'il disait, mais Charlie l'en dissuada.

– Épargne-moi ton calepin. Je te crois sur parole... Charlie reporta son attention sur le tableau, cherchant un autre vol... Et la Continental?

– Cata...

– Catastrophe, je sais. Ray, chaque compagnie a perdu au moins un appareil. Tu en connais une, toi, qui n'ait jamais eu à souffrir d'une catastrophe aérienne?

– Quantas, répondit Raymond.

Charlie ne put se retenir de rire.

– Génial, sauf que ça nous obligerait à passer par l'Australie !

Bon, ça suffisait comme ça. Il perdait son temps à tenter de convaincre un fou. Raymond allait embarquer dans cet avion, même si Charlie devait le porter sur son dos jusqu'à bord. Une fois en l'air, son frère n'aurait pas le choix. Avec un casque-écouteur sur la tête, un film sur l'écran de bord, quelques paquets de chips et de cacahuètes, Raymond tiendrait parfaitement bien les trois heures de vol jusqu'à L.A.

– Écoute, on va prendre cet avion! Charlie saisit Raymond par la manche et entreprit de l'entraîner avec lui. Raymond se raidit aussitôt, se faisant aussi rigide qu'un bloc de béton. Il commença à secouer la tête en roulant des yeux apeurés. C'était sa vie même qui était menacée.

Le spectacle de cette panique était tel que Charlie le lâcha et recula d'un pas. Il pouvait voir que son frère s'était réfugié dans ce monde autistique qui était comme une île inabordable. Ni paroles douces ni paquets de crackers ne renoueraient le contact. Les secondes passaient. La situation exigeait des mesures urgentes, radicales. Il empoigna Raymond par le bras et le tira à lui.

– Ray, tu peux pas savoir dans quelle merde tu me fous! grogna Charlie entre ses dents. Tu vas monter dans cet avion!

Raymond continuait de secouer la tête et il marmonnait de façon incompréhensible. Furieux, Charlie le saisit à bras-le-corps et essaya de l'entraîner. Bon Dieu, il était lourd pour quelqu'un d'aussi mince et petit. Un poids mort.

Mais Raymond parvint à libérer un bras et, portant la main à sa bouche, il la mordit violemment, aussi férocement que la main d'un ennemi.

– Arrête ça, Ray! cria Charlie. Arrête!

Cette vision lui était parfaitement insupportable. Il n'avait jamais rien vu de tel de sa vie.

Mais Raymond ne voulait ou ne pouvait l'écouter. Il continuait de se mordre la main tout en jetant des regards furieux à Charlie, comme si c'était lui qu'il mordait. C'était un spectacle terrible. Frustré, enragé par sa propre impuissance, Charlie leva un poing menaçant, mais Raymond ne fléchit pas, et mordit, mordit...

Charlie baissa les bras. Il était battu.

– D'accord, d'accord, dit-il d'une voix lasse. Nous prendrons la route, ça te va? Nous irons avec la Buick, d'accord, Raymond?

Raymond ne répondit pas, mais Charlie perçut un léger relâchement dans son corps. Son frère gardait encore la main dans sa bouche, mais il ne se mordait plus.

– Plus d'avion, Raymond, dit Charlie tout bas. Je... je suis désolé. Ça va? Ça va, Raymond?

Raymond sortit lentement sa main de sa bouche, et la lueur fiévreuse de son regard se dissipa. Les deux frères se regardèrent pendant un long moment, puis Charlie se détourna et prit la direction opposée aux portes d'embarquement. Une seconde plus tard, Raymond le suivit, la tête bizarrement inclinée sur le côté.

Chapitre 7

– Est-ce que je peux conduire, Charlie Babbitt?

La Buick filait sur l'autoroute, direction l'Ouest. Détendu, Charlie conduisait d'une main, le bras appuyé sur la portière, le vent dans les cheveux. Le moteur, en parfait état, ronronnait agréablement. Ils avaient maintenu une bonne moyenne jusqu'ici, et Raymond s'était bien comporté. Si Charlie n'avait pas appris à se méfier de tout diagnostic hâtif concernant son frère, il aurait pu dire que Raymond prenait plaisir à ce voyage en voiture. Peut-être que la Buick, avec les souvenirs familiaux qu'elle ressuscitait, avait-elle un effet apaisant sur lui.

– Tu sais conduire? demanda Charlie en jetant un regard amusé à Raymond.

– Non. Est-ce que je peux conduire? Comme Charlie ne répondait pas, Raymond tendit lentement la main jusqu'à effleurer des doigts le volant.

Charlie se redressa et tourna un visage sévère vers Raymond.

– Ne touche jamais le volant! Jamais! ordonna-t-il. Ni le levier des vitesses! Ce truc, et il désigna à son frère le levier en question. Il s'attendait à ce que Raymond se mette à marmonner ou à s'agiter, mais celui-ci ne broncha pas, et son visage resta aussi expressif qu'un bloc de marbre.

Faire le voyage en voiture avait au moins un avantage : Charlie aurait tout le temps de réfléchir, d'élaborer un plan. A présent que l'accusation d'enlèvement ne le menaçait plus, il pouvait passer à l'étape suivante : appeler son avocat à Los Angeles, et lui présenter la situation. Les nouvelles furent bonnes, meilleures que prévues.

L'avocat n'eut aucun mal à l'assurer que Raymond Babbitt n'était pas en état – et ne le serait jamais – de rentrer en possession de trois millions de dollars. Le déclarer mentalement inapte ne poserait pas de difficulté, le dossier médical de Raymond étant plus qu'éloquent. La démarche suivante viserait à obtenir sa tutelle. Qui aurait la charge de Raymond aurait celle de son argent. Et quel meilleur tuteur pour Raymond Babbitt que son frère dévoué, Charles Babbitt?

L'objectif de Charlie était donc d'obtenir officiellement la garde de Raymond. Et il lui fallait pour cela convaincre le psychiatre nommé expert auprès du juge qu'il n'y avait pas de meilleur tuteur pour Raymond que son propre frère. Charlie savait que ce ne serait pas chose facile, mais il avait une confiance illimitée dans ses talents de manipulateur.

A quelques kilomètres après Tulsa, en Oklahoma, Charlie s'arrêta à une station-service avec une cabine téléphonique et se munit de pièces de monnaie. Se gardant de laisser Raymond dans la Buick, il l'entraîna avec lui dans la cabine et referma la porte vitrée derrière eux.

A deux dans une cabine, ils étaient un peu serrés, et une lueur d'inquiétude s'alluma dans les yeux de Raymond. Mais Charlie était trop occupé à consulter l'annuaire pour s'en apercevoir.

– Bien sûr... trop petit ici, dit Raymond, nerveux.

Merde! Pas de pages jaunes. Du coin de l'œil, Charlie vit la main de Raymond pousser la porte vitrée. Impatiemment il la referma d'un coup de pied tout en décrochant le combiné.

– Trop petit ici, répéta Raymond, commençant à trembler de tout son corps.

– Juste une seconde, Ray, dit Charlie. Il composa le numéro des renseignements. Allô, les renseignements? Avez-vous une liste des médecins-psychiatres de la région?

Raymond s'efforçait maintenant d'enlever son sac à dos. L'étroitesse de l'espace rendait l'opération extrêmement laborieuse, et c'était là une épreuve nouvelle et effrayante. Jamais cela ne s'était produit. Il avait toujours enlevé et remis son sac sans avoir à se contorsionner.

– Non, mais c'est une urgence, dit Charlie à l'appareil. Il me faut l'adresse du meilleur psychiatre de Tulsa.

Raymond était enfin parvenu à ôter son sac, et il fouillait à l'intérieur tout en le tenant serré contre lui. Ses calepins dégringolèrent par terre, et il vécut leur chute avec horreur. Une chose pareille ne devait pas se produire. Non. Non.

– Peut-être en consultant l'annuaire par rues, dit Charlie, inconscient du drame qui se jouait à côté de lui. Pourriez-vous regarder s'il n'y a rien dans la zone résidentielle? Je ne voudrais pas dramatiser, madame, dit-il à l'opératrice en mobilisant toute la sincérité qu'il pouvait, mais il y va de la vie de quelqu'un... *Ouais, la mienne*... Je vous remercie infiniment...

Enfin. Raymond trouva ce qu'il cherchait : le calepin bleu. Il se mit aussitôt à ses notes.

– Schilling! s'écria Charlie. Joli nom, ça! Sonne très sérieux. Attendez une seconde que je prenne de quoi écrire.

Il jeta un coup d'œil à Raymond qui avait justement en main tout ce qu'il lui fallait : du papier et un stylo. Charlie lui arracha des mains calepin et pointe Bic et griffonna sur la page le numéro de téléphone du médecin, tandis que Raymond tentait, malgré sa stupeur, de lui reprendre son précieux bien. Mais Charlie avait tourné le dos à son frère, lui interdisant toute manœuvre.

– Quarante et un, trente-six, quinze? Merci mille fois.

Il raccrocha et, sous le regard effaré de Raymond, arracha la page du calepin, la fourra dans sa poche et rendit l'objet mutilé à son frère comme si rien ne s'était passé. Le visage de Raymond exprimait un indicible désarroi, qui continua d'échapper à Charlie.

Serrant son calepin retrouvé dans sa main, Raymond entreprit une rédaction frénétique de l'événement en jetant des regards furieux à Charlie.

Charlie secoua la tête.

– Tu sais, t'avoir emprunté ton calepin n'est pas une blessure grave.

– Les blessures graves, c'est pour le rouge. Ça, c'est le bleu.

– Excuse-moi, mais j'ai oublié mon décodeur, dit Charlie, enjoué. Il avait l'impression d'avoir avec le numéro de téléphone du psychiatre de Tulsa les chiffres gagnants du Loto national.

– Bien sûr, tu as déjà le numéro... commença Raymond.

– Dix-huit, je sais.

– En 1988, termina Raymond.

Charlie se retourna vers le téléphone. Il était temps de prendre rendez-vous avec ce Dr Schilling.

– Trop petit ici, protesta Raymond.

– Petit mais sûr, répliqua Charlie avec entrain, indifférent une fois de plus à ce vibrato d'inquiétude dans la voix de son frère. Il pourrait t'arriver du mal si je te laissais dehors. Et tu ne voudrais pas rater la fête... Il jeta un regard à Raymond qui le considérait d'un air méfiant.

– Oui, la petite fête qu'on donnera en ton honneur, quand on m'aura désigné comme ton nouveau tuteur. Mon avocat s'en occupe en ce moment. Il colla le combiné à son oreille. Bien, ça sonnait. Et sais-tu pourquoi on fera la fête?

Raymond secoua la tête.

– Parce que tu as trois millions de dollars, mon bonhomme. Et que... On venait de décrocher à l'autre bout de la ligne, et Charlie porta soudain toute son attention à son appel.

– Oui? Est-ce que le Dr Schilling est là, s'il vous plaît? Je vous appelle de Bummer, dans le Missouri. Pour un cas urgent. Dans son dos, la voix de Raymond s'éleva, vibrante de panique.

– Oh! C'est... c'est...

Charlie tourna la tête vers lui. Raymond regardait sa montre-bracelet avec de grands yeux horrifiés. Son effroi était tel qu'il ne pouvait articuler un mot, et il ne s'échappait de ses lèvres que des sons étranglés. Mais la voix au bout du fil réclamait de nouveau son attention. Raymond avait peut-être un problème, mais il devrait attendre.

– Madame, il me faut consulter le Dr Schilling d'ici ce soir, dit Charlie d'une voix pressante. J'ai besoin de ce rendez-vous. J'en ai désespérément besoin!

Du désespoir, Raymond en avait à revendre en ce moment, coincé comme il l'était dans cette cabine avec un frère qui refusait de l'écouter, alors qu'il ne restait plus... qu'il ne restait plus que...

– Onze minutes, gémit Raymond. Dans onze minutes commencerait « la Justice est à vous »! Dans onze minutes apparaîtrait le juge Wapner! Raymond avait du mal à y croire. Sa montre ne mentait pas, et il n'y avait pas un seul poste de télé en vue. Rien qu'une station-service, un distributeur automatique de boissons et cette monstrueuse cabine téléphonique dans laquelle il était enfermé avec son frère.

Il commença à tourner sur lui-même, comme un animal pris dans quelque piège de verre, prêt comme un renard ou un furet à se ronger une patte pour s'échapper.

Et Charlie qui ne parvenait pas à obtenir ce rendez-vous. Il était toujours en ligne avec la secrétaire, qui détenait sur lui un pouvoir de vie ou de mort.

– Ne pourrait-il pas m'accorder exceptionnellement un rendez-vous pour aujourd'hui? Charlie chargea l'appareil de toutes les pièces dont il disposait.

Raymond marmottait comme un dément, à présent. Il n'avait qu'une idée en tête : Wapner. S'il ne pouvait voir Wapner, il était perdu. PERDU! Wapner était l'un des maillons de cette chaîne de protection qui lui était aussi vital que l'eau à un poisson. Wapner signifiait pas de peur.

– Bien sûr... Wapner passe dans onze minutes... et il n'y a pas de télé... et ça va être... Il n'osait pas dire « trop tard ». Ces deux mots avaient le pouvoir de tuer.

– Je sais, je comprends, gémissait Charlie au téléphone, enfin conscient de la tragédie qui se déroulait à côté de lui. Il est médecin, non? Vous ne pouvez pas savoir combien ce rendez-vous...

– Nous sommes enfermés dans cette boîte. Enfermés pour de vrai. Sans télé... et ça va être... Raymond roula des yeux, et Charlie se demanda avec inquiétude s'il n'allait pas s'évanouir. On aurait dit un oiseau se cognant contre les barreaux de sa cage jusqu'à ce que la mort le délivre.

– Je vous adjure de m'obtenir ce rendez-vous, dit Charlie. Vous m'entendez, je vous adjure...

– Ohhhh... ohhhh... geignait maintenant Raymond.

– D'accord, lança Charlie dans l'appareil. Je vous passe le malade. Il poussa le combiné sous le nez de Raymond.

– OHHHHH! cria Raymond. Ça va être... ça va être... OHHHH!
Charlie reprit le récepteur.
– Madame? Oui, j'attends. *Bien joué, Raymond.*
– Et... ce ne sont pas des comédiens... mais de vrais plaignants... avec de vrais dossiers...
– Oui, madame, à six heures. Nous ne serons pas en retard... Non, je vous le promets. Pas une seule minute. Et Dieu vous bénisse.
Charlie raccrocha. Il tremblait de soulagement. Il allait maintenant s'occuper de Raymond, qui suffoquait littéralement.
– Ray, dit-il. Nous allons chercher un poste de télé, d'accord?
Raymond hocha la tête. C'était tout ce qu'il pouvait faire. Charlie poussa la porte de la cabine et, prenant Raymond par le bras, il le tira vers la voiture.
– Plus que dix minutes... marmonna Raymond.

***

Ils se trouvaient en pleine cambrousse. De tous côtés s'étendaient des champs, et il n'y avait pas une seule maison en vue, pas un seul motel, même pas un bar. Charlie cherchait désespérément la silhouette métallique d'une antenne sur un toit, mais il n'y avait pas de toits.
Raymond, les yeux rivés sur son bracelet-montre, comptait les minutes. Plus que neuf. Plus que huit. Son anxiété était contagieuse. Charlie commençait à s'agiter en scrutant les environs.
Une ferme apparut enfin. Une habitée par des Terriens, à en juger par ses fenêtres éclairées, malgré que le jour ne fût pas encore couché. Mieux encore, l'antenne parabolique qui se dressait dans un coin du jardin garantissait la réception de tous les grands réseaux de télévision.
Sauvés. Enfin, presque. Charlie engagea la Buick dans l'allée et s'arrêta devant le perron. Comment pénétrer dans la maison? Raymond n'offrait pas un spectacle rassurant, pour employer un euphémisme. Charlie se demandait s'il n'allait pas partir en fumée devant ses yeux, et cela uniquement parce qu'il aurait raté un épisode de « La Justice est à vous »!

Échafaudant une tactique, Charlie emmena Raymond jusqu'à la porte.

– Sûr, il reste plus que quatre minutes...

Charlie le prit par les épaules, le forçant à le regarder.

– Tu veux entrer là-dedans? Tu veux voir ton émission?

C'était une question de rhétorique, et Raymond était bien trop ému pour articuler un seul mot. Son hochement de tête criait OUI, tandis que le reste de son corps était animé d'une vibration de transformateur surchauffé. Les plombs allaient sauter d'un instant à l'autre.

– Alors, écoute, lui dit Charlie. Il n'y a pas d'autre ferme en vue, d'accord? Celle-ci est notre unique chance. Si tu paniques, tu n'entres pas. Tu m'écoutes?

Raymond écoutait. Il avait même très bien compris, ce qui ne faisait qu'accroître sa peur. « Ne pas entrer » et « Unique chance » étaient des paroles chargées d'un terrible sens.

– Tu vas rester ici, ordonna Charlie. Et essaie de te conduire normalement. Nor-ma-le-ment, tu comprends?

Allons, Charlie, lâche-nous. Comment Raymond pourrait savoir ce qui est normal?

Jetant un furtif regard derrière lui, Charlie défit d'un cran la ceinture de Raymond, descendit son pantalon de sous les aisselles jusqu'au niveau de la taille et reboucla le ceinturon.

– Et n'y touche plus! grogna-t-il. Ne bouge pas, et ferme-la. Compris? Afin de mieux se faire comprendre, Charlie ouvrit grand la bouche et la referma dans un claquement de dents. Raymond l'imita avec sa perfection coutumière. Ouvert. Fermé. Reçu cinq sur cinq.

Charlie plaqua son sourire numéro cinq (ouvert, amical) sur son visage et frappa à la porte. Derrière lui piétinait Raymond, avec l'air d'un gosse incapable de contenir trois minutes de plus sa vessie. Charlie lui intima l'ordre de ne plus bouger.

Une jeune femme vint leur ouvrir. Elle portait un bébé dans ses bras, et deux autres enfants en bas âge s'accrochaient à ses jambes. Elle vit devant elle un très beau jeune homme avec un sourire amical et, derrière lui, un homme à l'aspect ordinaire, d'une quarantaine d'années, vêtu simplement, avec un pantalon normalement serré à la taille.

– Bonsoir, dit poliment Charlie. Je suis Donald Clemens, madame, de la compagnie A.C. Nielsen. Vous avez entendu parler de nous, n'est-ce pas?
– Neilsen? répéta la jeune mère de famille. Ah oui, les sondages chez les téléspectateurs?
– C'est exact, approuva Charlie avec une satisfaction non feinte. Vous avez été sélectionnée pour devenir notre prochaine Famille Nielsen...
– Vous savez, mon mari n'est pas là... commença-t-elle de dire, vaguement méfiante.
Mais Charlie n'allait pas se laisser démonter pour si peu.
– Vous savez que, si vous êtes définitivement choisie, vous partagerez la responsabilité de la programmation d'émissions vues par la nation entière. En retour de quoi, vous recevrez chaque mois pendant un an la somme de deux cent quatre-vingt-six dollars!
Deux cent quatre-vingt-six dollars par douze, ça faisait une assez jolie somme, ça! La lueur qui venait de s'allumer dans les yeux de la jeune femme n'échappa pas à Charlie. Mais le temps pressait. Combien dc temps Raymond tiendrait-il, alors que les secondes s'égrenaient impitoyablement?
– Si vous voulez... quand mon mari sera...
Charlie secoua la tête.
– C'est notre unique passage dans la région, madame, lui dit-il d'un ton de regret sincère. Si vous êtes trop occupée pour nous recevoir, nous nous adresserons au sélectionné suivant...
La femme se mordit la lèvre. Cet argent serait le bienvenu, avec ces récoltes médiocres en raison de la sécheresse. Mais Dwayne ne serait peut-être pas content d'apprendre qu'elle avait laissé entrer des étrangers chez eux.
– Vous savez, dit Charlie. Tout ce qu'on vous demande, c'est de nous laisser voir sur votre récepteur de télé une émission choisie par nous. Nous n'en aurons pas pour longtemps.
– Combien de temps?
Derrière-lui, Charlie entendait des bruits bizarres, mais il n'osait pas se retourner.
– Très peu de temps, répondit-il, évasif.

– C'est-à-dire? insista la jeune femme.

Les bruits se faisaient plus distincts.

– Trente minutes, c'est tout ce que nous... La femme essayait de voir ce qui se passait derrière Charlie, et il fit un pas de côté pour lui bloquer la vue.

– Qui est-ce? demanda la maîtresse de maison.

Charlie ne se retourna pas. Il n'y tenait vraiment pas.

– Euh... c'est mon collègue, Mr Bainbridge. C'est lui qui est chargé de visionner l'échantillon.

L'expression de la jeune femme était passée de la curiosité à une stupeur mêlée d'inquiétude.

– Vous savez, il fait ça depuis très long... Il se tut, sachant qu'il avait perdu. La jeune femme ne quittait plus Raymond du regard. A son tour, Charlie se retourna pour regarder le spectacle.

La star du base-ball, le grand Raymond Babbitt, était de retour, perdu dans un match imaginaire qui le séparait d'un réel devenu invivable, d'un réel sans poste de télé quand Wapner allait passer dans quatre-vingt-dix secondes. Moulinant du bras, Raymond s'apprêtait à lancer sa troisième balle, celle qu'il ne fallait pas manquer.

Charlie, impuissant, le regarda faire son lancer et suivre des yeux cette balle invisible qu'un fantôme de batte frapperait dans un bruit inaudible. Écœuré, il se retourna vers la jeune femme, mais celle-ci était déjà rentrée chez elle en refermant la porte. Il ne pouvait pas lui en vouloir. Il aurait fait de même en face d'un dingue venu mimer une partie de base-ball devant sa porte. Il n'en éprouvait pas moins une forte déception pour Raymond, privé de son émission. Et, à cause de cette déception même, il en voulait à Raymond.

– Eh voilà, le match est fini! cria-t-il. Tu ne verras pas ton émission!

Raymond se mit à danser d'un pied sur l'autre en roulant des yeux effrayés. Il ne pouvait croire ce que lui disait Charlie. Pas de Wapner? C'était la fin du monde! Non, impossible. Il montra son bracelet-montre.

– Mais... mais il reste... il reste une...

– Une minute, je sais, confirma Charlie. Mais tu as tout gâché. Oui, mon pote, tu as tout fait foirer! J'allais réussir à te faire entrer. Tu te serais assis sur sa moquette, avec son pop-corn, devant sa télé... et tu aurais pu tout voir, les plaignants, les avocats et tout le saint-frusquin...

Mais Raymond ne l'entendait plus. Il savait seulement qu'il n'allait pas voir Wapner, et il devenait comme un petit animal cherchant un refuge en grattant frénétiquement la terre pour s'y enfouir, à cette différence que Raymond, lui, fuyait aux confins de son cerveau, là où nul ne pourrait plus l'atteindre. Il continuait de marmonner, mais ses paroles avaient perdu tout sens.

– Ça... va être... ça va... être... ça va... ça va...

Il n'avait plus de mots pour expliquer à Charlie l'étendue du désastre. Alors il se mit à battre des mains, les bras tendus, comme une otarie de cirque. Et clap, et clap, et clap. Il ne s'arrêtait plus.

Charlie comprit qu'il devait intervenir, et vite. Son frère tombait en morceaux devant lui, se défaisait en lambeaux de désespoir. Il frappa à la porte. La femme, qui devait avoir observé la scène de derrière sa fenêtre, ouvrit aussitôt.

– Je vous ai menti, madame, s'empressa d'expliquer Charlie. Et, croyez-moi, j'en suis désolé. Cet... cet homme... est mon frère, voyez-vous...

La femme jeta un coup d'œil à l'otarie humaine qui continuait de gesticuler puis reporta son attention sur ce beau jeune homme.

– Votre frère? demanda-t-elle, dubitative.

Charlie acquiesça d'un signe de tête.

– Oui, et s'il ne voit pas l'émission « La Justice est à vous » dans trente secondes... il va... faire une crise. Là, devant chez vous. Alors, soit vous m'aidez, soit vous restez ici, et on n'aura plus qu'à attendre qu'il explose!

La femme réfléchit un instant.

– A cette heure-ci, nous regardons « La Roue de la fortune », dit-elle enfin. Vous pensez que ça le calmera?

Quinze secondes plus tard, Raymond Babbitt se retrouvait assis comme promis sur le tapis de la dame devant le poste de télé, où l'image du juge Wapner venait d'apparaître pour rendre, impartial, la justice auprès d'authentiques plaignants, et le monde se remit à tourner dans le bon sens pour Raymond Babbitt. Au diable « La Roue de la fortune »!

Charlie poussa un grand soupir de soulagement. La catastrophe était évitée, et il pouvait tirer de l'incident une importante leçon. Jamais, jamais, JAMAIS ne laisser

Raymond Babbitt sans un poste de télé à portée de vue durant le quart d'heure précédant la diffusion de « La Justice est à vous »!

Tandis que Raymond était confortablement installé devant la télé, à grignoter des bretzels (la famille n'avait ni chips ni crackers), et que la jeune femme et ses bambins observaient avec un grand intérêt Raymond gribouiller dans son calepin vert tout en suivant intensément le procès, Charlie Babbitt alla dans la cuisine passer un coup de fil.

Cela faisait deux jours qu'on l'attendait à Los Angeles, et il se trouvait encore dans l'Oklahoma. Seul au volant, Charlie aurait réalisé une meilleure moyenne, mais Raymond exigeait autant d'arrêts qu'un enfant de quatre ans entre les pipis, les achats d'amuse-gueule, les émissions de télé. Charlie devait absolument contacter Eldorf, son mécanicien. Les créanciers pouvaient attendre. Lenny Barish n'avait qu'à les faire patienter. Quant à Susanna... là, ça faisait encore trop mal pour tenter de renouer le lien avec des chances de succès. Il devrait attendre encore un peu.

Charlie composa le numéro d'Eldorf en se rongeant nerveusement l'ongle du pouce. Quand enfin il eut le mécano en ligne, ce fut pour apprendre une mauvaise nouvelle : pas d'adaptateurs.

– Mais c'est pas possible, ça! s'écria Charlie. C'est jamais qu'un misérable gicleur de carburateur! Une merde à cent dollars! Dis-moi que c'est pas possible, Eldorf. Dis-le-moi!

Eldorf marmonna Dieu sait quelles excuses qui se perdirent dans la friture de la communication.

Charlie soupira; il n'avançait nulle part. Il jeta un coup d'œil à sa Rolex. Raymond et lui devaient se trouver dans une demi-heure chez ce Dr Schilling, et c'était juste le temps qu'il leur fallait pour regagner Tulsa. S'ils étaient en retard, ils risquaient de trouver porte close. Et il était vital que Charlie consulte ce toubib, parce que là-bas, à Los Angeles, son avocat avait peut-être déjà obtenu de la part du juge une audition pour demande de tutelle, et Charlie n'avait pas envie de se pointer là-bas, le bec enfariné, sans avoir d'argument valable à opposer à ceux de son adversaire, le Dr Bruner.

– Écoute, Eldorf, dit-il d'une voix calme. Tu vas téléphoner à tous les ateliers d'Amérique et du Canada. Offre-leur ce que tu veux. Ça me coûtera de toute façon moins cher que de perdre ces bagnoles... *Merde*! il aurait dû les expédier en Oregon quand il en avait encore la possibilité. Maintenant, il était trop tard.

Il était coincé, mais il le serait encore plus s'il arrivait en retard à son rendez-vous avec Schilling. Du salon lui parvint le juste verdict du juge Wapner.

« ... Nous accordons au plaignant quatre cent cinquante et un dollars de dommages et intérêts... » Le bruit sec du marteau charma l'oreille de Charlie.

Super, cette fichue émission était terminée. Ils pouvaient partir. Charlie lança tout de même une dernière mise en garde à cet incapable d'Eldorf :

– Trouve-les! Ou je te descends! Il raccrocha et se précipita au salon.

– J'ai appelé en P.C.V., mentit-il à Eve. Le temps qu'elle reçoive sa facture du téléphone, Charlie Babbitt ne serait pas seulement loin mais riche de trois millions de dollars.

– Beau jugement, hein, Ray? dit-il avec son entrain retrouvé. Merci, Eve. Merci, les enfants. Allez, Ray, il faut qu'on parte...

– Les... les interviews des plaignants... ânonna Raymond.

Charlie secoua la tête.

– C'est fini, Ray. La bonne femme a gagné son procès contre ce sale type qui a empoisonné ses lapins. Elle va pouvoir s'en acheter tout un troupeau. C'est fini.

Raymond se contenta de regarder Charlie avec une expression vacante que ce dernier avait appris à reconnaître. Elle n'augurait jamais rien de bon.

– Nous sommes en retard, Ray, dit Charlie. Le docteur n'attendra pas. Et c'est vraiment important...

– Nous... nous allons demander maintenant leur avis aux plaignants de ce jour... récita Raymond.

Charlie entendit quelque part comme un grondement de tonnerre. Un orage approchait, mais certainement pas dans le ciel.

– Ray, tu as pu voir ton émission, grâce à Eve mais aussi à moi. Je te demande une petite faveur. Un compromis... Lève-toi et...

– On écoute les plaignants, l'interrompit Raymond en lui jetant un regard aigu. Charlie perçut un nouveau grondement, plus fort, plus rapproché. Raymond serait bien capable de lui faire une crise *intra muros.*

– D'accord, concéda-t-il en éprouvant soudain une haine féroce pour son frère. Que pouvait-il faire? Rien. Et il soupçonnait fortement Raymond de le savoir et d'en profiter sciemment. D'accord, prends ton temps, ajouta-t-il en se retenant de hurler.

Raymond reporta son attention sur l'écran. Il porta un bretzel à sa bouche et mordit dedans d'un air content.

***

Charlie ne mit pas plus de vingt minutes pour parcourir les soixante kilomètres qui le séparaient de Tulsa et de son rendez-vous. Dieu merci, aucune voiture de patrouille ne maraudait dans le secteur, et il s'arrêta brutalement devant le centre médical où le Dr Schilling donnait ses consultations. Il sauta de la voiture, en fit le tour en courant et ouvrit la portière à Raymond.

– Vite, le docteur nous attend.

Raymond s'ébranlait de son pas traînant quand Charlie l'arrêta.

– Attends, Ray. Attends.

Il s'approcha de Raymond, et lui remonta son pantalon jusque sous les aisselles, là où son frère aimait à le porter.

– Voilà, c'est beaucoup mieux comme ça. Allons-y, maintenant.

Chapitre 8

Le Dr Schilling les avait attendus. Son mérite, toutefois, n'était pas grand : ils n'avaient que trois minutes de retard. Charlie et le docteur se présentèrent l'un l'autre, échangèrent une brève poignée de main, tandis que Raymond inspectait le cabinet avec une attention hallucinée. Dieu seul savait ce que ce cerveau enregistrait derrière ce regard sans expression. Quand il parvint devant l'aquarium dans lequel évoluaient des poissons combattants, il s'immobilisa, sortit un calepin à la couverture noire et commença de prendre des notes.

– C'est mon frère, dit Charlie. Un autiste. Il manqua dire un « savant autiste », mais il n'avait pas encore exploré cet aspect de son frère, hors ce qu'il avait pu observer de cette mémoire stupéfiante que possédait Raymond. Il pensa également que la science de son frère intéresserait par trop le Dr Schilling, et Charlie tenait seulement à lui poser quelques questions et poursuivre leur route. Il n'avait pas le temps de traîner dans Tulsa, pendant que Raymond passerait d'étranges tests, des électrodes sur le crâne.

Il raconta cependant au psychiatre ce qu'il savait de Raymond, ses paniques, quand il mimait une partie de base-ball, les notes qu'il prenait sans cesse dans des calepins différents, sa façon de manger par petits morceaux avec des cure-dents, la rigidité corporelle et le chuchotement à la moindre alerte, et l'angoisse terrible qui pouvait le saisir à la pensée de rater son émission favorite, « La Justice est à vous ».

Distingué, la barbe bien taillée, vêtu avec élégance, le Dr Schilling avait un air sérieux et pénétré. Toutefois, il y avait quelque chose dans son regard que Charlie n'aimait pas, sans qu'il sût dire quoi ni pourquoi, et sa voix avait des intonations trop suaves.

– Vous aimez les poissons, Raymond? demanda-t-il.

– Pitoyables, répondit Raymond sans lever les yeux de ses notes.

– Ray... mais le psychiatre interrompit Charlie d'un geste de la main. Qu'il laisse donc Raymond s'exprimer comme il l'entendait.

– Que puis-je faire pour vous? demanda-t-il à Charlie, mais son regard s'attardait sur Raymond.

Charlie étrécit les yeux. Que devait-il dire du but de sa visite? La vérité, pensa-t-il. Et rien de plus.

– Mon avocat m'a dit qu'en matière de demande de tutelle, le point de vue du psychiatre, du moins dans un cas comme celui de mon frère, aurait toute l'attention du juge. Charlie s'efforçait de paraître le plus innocent, le plus naïf possible.

Le Dr Schilling n'avait pas besoin d'un dessin pour comprendre. Ce n'était sûrement pas par affection fraternelle que le dynamique benjamin désirait s'occuper de son aîné autiste. Non, c'était une histoire d'argent, plus exactement de gros sous.

– Et alors? demanda-t-il.

– Alors je suis venu vous consulter.

– Me consulter? répéta le psychiatre d'un air faussement perplexe.

– Oui, acquiesça Charlie, décidé à aller jusqu'au bout. Je voudrais savoir ce que cet expert-psychiatre demandera à mon frère, quelles questions il lui posera.

Le Dr Schilling haussa les épaules en souriant.

– Comment voulez-vous que je le sache?

– Vous, par exemple, quelle question vous lui poseriez? insista Charlie.

– Est-ce qu'il aime les poissons?

– Et qu'est-ce que vous avez déduit de sa réponse?

– Que mes poissons sont pitoyables. Dans un sens, votre frère n'a pas tort... concernant les poissons. Que voulez-vous que je vous dise d'autre?

Charlie respira profondément et répondit :

– Comment gagner.

– Vous croyez aux miracles? demanda doucement le psychiatre. Ce n'était pas tout à fait ce que Charlie voulait entendre.

– Écoutez, je n'ai pas tout mon temps, et vous non plus...

Le Dr Schilling sourit. Un sourire plutôt froid.

– Ma foi, votre frère présente certaines conduites anxieuses. Pas très éloignées de ce que vous êtes en train de faire à votre ongle.

Charlie retira aussitôt son ongle de sa bouche. Il se trouvait stupide de s'être fait contrer aussi aisément. Ça détruisait complètement l'image qu'il avait voulu donner.

– Ces notes, ces rituels le protègent de ses peurs.

– Je sais cela, dit impatiemment Charlie.

– Ce que vous voudriez, monsieur Babbitt, c'est que votre frère perde un peu de ces comportements rituels, et que le médecin qui l'examinera à l'occasion de votre demande de tutelle trouve qu'il a progressé et que...

– Que j'ai une bonne influence sur lui, l'interrompit Charlie.

Le Dr Schilling acquiesça d'un signe de tête.

– Vous aimeriez que votre frère paraisse plus heureux, et en meilleure condition que dans cette maison de repos dont vous m'avez parlé. Et tout ça, grâce à vous.

– Exactement. Il faudrait que je lui fasse perdre, disons, quelques-unes de ses manies, dit Charlie, qui semblait considérer cela comme une simple formalité.

Le psychiatre eut cette fois un franc sourire.

– Si vous y parvenez, dit-il, même avec une seule de ses manies, comme vous dites, et cela en l'espace de deux jours, je vous appuierai pour le prix Nobel de médecine.

Charlie pinça les lèvres de dépit, mais il décida de passer sur le sarcasme du psychiatre.

– Je vais quand même essayer.

– Vous pourriez commencer, dit le Dr Schilling d'un ton léger, par mettre une mine dans son crayon.

La métaphore sexuelle prit Charlie par surprise. Que Raymond jette sa gourme? Lui faire rencontrer une femme? RAYMOND? Choqué, il tourna la tête vers son frère. Raymond continuait de prendre des notes sur les poissons avec une telle attention pour ces derniers qu'il ne s'apercevait pas que sa page restait blanche. Son porte-mine n'avait plus de mine.

– Vous ne saurez jamais ce à quoi j'ai pensé, dit Charlie en souriant au docteur.

Mais le Dr Schilling s'en doutait un peu.

– Au sexe? dit-il en lui rendant son sourire. Ça... ça serait le plus joli coup que vous pourriez réussir, si vous me passez l'expression.

***

Pendant le long et pénible trajet de Tulsa au motel texan dans lequel ils s'arrêtèrent pour la nuit, Charlie tourna et retourna le problème. Changer le comportement profondément intégré d'un autiste! Cela lui avait paru facile à imaginer dans le cabinet du Dr Schilling, mais il se demandait à présent comment il pourrait changer quelque chose qu'il ne comprenait pas? Certes il avait pu observer les réactions de son frère dans certaines situations, et il commençait à reconnaître les signes annonçant une crise, mais il était bien en peine de savoir pourquoi Raymond fonctionnait de cette façon.

Selon le Dr Bruner, Raymond ne pouvait établir de rapports de cause à effet ni relier les informations entre elles. Il n'avait aucun esprit d'association ni de synthèse. Par ailleurs il n'éprouvait pas d'autres sentiments que ces états de peur et de « non-peur » et restait fermé à toute relation humaine, du moins au sens où les gens normaux l'entendaient. Charlie commençait à comprendre ce que le praticien avait voulu dire. Et, si l'on ne pouvait établir de contact avec quelqu'un, comment diable pouvait-on espérer le changer?

La journée avait été longue et fatigante, même pour Raymond, qui sommeillait de temps à autre dans la voiture et ne paraissait jamais fatigué. Il n'avait même pas attendu la fin du « Cinéma de minuit » pour se préparer à dormir. Il se brossait les dents quand Charlie entra dans la salle de bains pour se faire couler un bain dans l'antique baignoire, car il n'y avait pas de douche dans cette chambre minable.

Bon Dieu! Raymond avait utilisé la moitié du tube de dentifrice et sa bouche écumait comme celle d'un chien enragé. Il brossait, brossait, comme s'il avait astiqué des pompes, et il était barbouillé de mousse et de dentifrice. Il en avait jusqu'aux oreilles, et le sol à ses pieds était maculé de flaques blanchâtres. Et il avait l'air d'aimer ça, à le voir se contempler dans le miroir.

– Ray, protesta Charlie, pris d'une vague de nausée.

Mais Raymond ne lui prêta pas attention. Il tartina derechef sa brosse, manche compris, de dentifrice, et reprit son brossage.

– Tu aimes te brosser les dents, remarqua Charlie en secouant la tête.

Pas de réponse. Raymond poursuivit avec une ardeur compulsive sa fabrication de mousse. Et Charlie perdit patience. La journée avait été rude, et le méchant hamburger qu'il avait avalé au dîner s'accommodait mal de ce spectacle baveux.

– Arrête ça, tu veux? demanda-t-il, irrité. Tu as vraiment l'air d'un crétin. Si le psy de Los Angeles voyait ça, il t'enfermerait et jetterait la clé.

Raymond brossa plus fort.

– Je t'ai dit d'arrêter, Ray! cria Charlie. ARRÊTE!

Raymond ne s'arrêta pas mais, marmonnant à travers la mousse, répondit :

– Tu aimes ça, Charlie Babbitt.

– Du diable si j'aime ça!

– Tu dis... « Drôle, Rain Man... drôles les dents. »

Charlie se figea. Avait-il bien entendu? « Drôle... Rain Man... Drôles les dents? » Rain Man?

– Qu'est-ce que tu as dit? demanda-t-il en regardant Raymond avec de grands yeux.

– Drôle, graillonna Raymond derrière son écran de mousse.

– Oui, qu'est-ce qui est drôle?

– Les dents.

– Non, dit Charlie, ce que tu as dit avant.

Mais Raymond avait reporté toute son attention à ses dents. Il se contemplait dans le miroir et brossait de plus belle. Charlie s'approcha du lavabo et remplit d'eau un gobelet. Il le tendit à Raymond.

– Tiens.

Raymond contempla le gobelet comme s'il en voyait un pour la première fois de sa vie.

– Rince-toi! ordonna Charlie. Et crache. Poussant le gobelet dans la main de Raymond, il lui enleva la brosse enduite de dentifrice. Mais Raymond restait planté là, comme paralysé, le gobelet à la main.

– Allez! cria Charlie.

Raymond porta enfin le gobelet à sa bouche, avala une gorgée d'eau et regarda son frère d'un air interrogateur. Charlie ne savait pas s'il devait pleurer ou rire. Il haussa les épaules. C'était mieux que rien. Raymond but de nouveau. Il avait une façon radicale de se rincer la bouche. Encore un effort, et il n'aurait plus qu'à se laver le visage.

Charlie lui prit le gobelet des mains et le reposa doucement sur la tablette. Il n'avait pas envie d'effrayer Raymond, pas maintenant.

– J'aime bien quand tu te laves les dents, dit-il. Tu es drôle...

– Tu ne peux pas dire « drôle » à Raymond, intervint soudain ce dernier. Tu es un bébé... Tu dis « Rain Man... Drôle Rain Man. Chante-moi, Rain Man. »

Une vague de souvenirs emporta Charlie Babbitt, de lointains souvenirs, non d'événements mais de sensations, de sentiments. Des sentiments d'amour et de sécurité, comme il n'en avait plus ressenti depuis plus de vingt ans. Il était là, dans cette salle de bains, comme stupéfié par quelque sortilège.

– Tu... tu étais Rain Man? parvint-il enfin à articuler.

Charlie ne savait que penser. Son Rain Man ne pouvait être réel, il avait été son ami, son protecteur imaginaire quand il n'était encore qu'un tout petit enfant.

Raymond porta la main à sa poche pour en sortir son portefeuille. C'était le genre d'objet fabriqué en ergothérapie. Deux pièces de plastique imprimé imitant le grain du cuir, aux bordures préalablement perforées pour le passage d'un lacet de nylon, que les patients assemblaient de leurs doigts gourds. Raymond en retira avec une infinie précaution son bien le plus précieux et le tendit respectucusement à Charlie.

Charlie examina la photographie. Les bords en étaient craquelés et les coins écornés, usés par les mains qui tant de fois avaient dû la tenir pendant toutes ces années. Elle représentait un jeune homme de dix-huit ans environ, les yeux sombres et le visage grave, les cheveux bien coiffés, qui regardait sans ciller l'objectif. Charlie n'eut guère de peine à le reconnaître.

Sur les genoux du jeune homme se tenait un petit enfant tenant à pleins bras une couverture. Ce bébé, c'était Charlie Babbitt, et le jeune homme contre lequel il se blottissait, Raymond Babbitt. Deux frères.

– Papa a pris la photo. Tout seul, dit fièrement Raymond.

Charlie ne pouvait détacher les yeux de l'image. Raymond et lui. Fascinant. Charlie et Rain Man.

– Et tu... tu vivais avec nous à cette époque?

– Tu vivais avec nous à cette époque, dit Raymond.

Ne faisait-il que répéter comme à son habitude ou bien savait-il que sa qualité d'aîné lui donnait cette préséance? Assis sur le rebord de la baignoire, Charlie continua de contempler la photographie, tandis qu'il essayait de reconstituer l'histoire.

– Quand... quand nous as-tu quittés? demanda-t-il enfin d'une voix basse.

– C'était un mardi, répondit promptement Raymond.

Un mardi? Charlie le regarda.

– Il neigeait. J'ai eu des flocons de blé au petit déjeuner. Tu as recraché les tiens. Alors Maria t'a donné une banane écrasée dans du lait. Elle est restée avec toi pendant que papa m'emmenait dans ma nouvelle maison. Le 21 janvier 1965. Un mardi...

– Mon Dieu, murmura Charlie. Maman était morte à peine trois semaines plus tôt. Juste après le Nouvel An...

– Et tu avais ta couverture. Et tu m'as fait au revoir de la fenêtre. Au revoir, Rain Man. Au revoir, Rain Man. Comme ça. Un mardi.

Un lointain souvenir revint à Charlie. Oui, il revoyait la neige... et la vieille couverture imprégnée de sa propre odeur... Et les signes qu'il adressait de la fenêtre à la silhouette qui s'éloignait... Et, plus tard, ses pleurs, son chagrin. Il voulait Rain Man, mais Rain Man ne revenait pas. Il ne revint jamais, et Charlie grandit en rangeant son ancien compagnon dans l'imaginaire de l'enfance.

A présent Charlie regardait Raymond comme s'il le voyait pour la première fois. Et c'était la première fois. Il voyait dans le visage de son frère celui, fantomatique, d'un jeune homme de dix-huit ans, si précieux et tant aimé, présentement maculé de pâte dentifrice et l'expression si désespérément vacante.

– Tu m'enveloppais dans cette couverture, chuchota Charlie. Et tu me chantais...

Pendant un moment Raymond regarda Charlie comme s'il ne comprenait pas ce que lui disait son frère. Puis, très doucement, il se mit à chanter d'une voix presque juste :

– « *Elle n'avait que dix-sept ans. A cet âge, c'est tentant. Jamais on n'avait vu de fille plus belle...* »

– «*Alors comment pouvais-je danser avec une autre qu'elle* », chanta Charlie.

– « *O-o-o-h* », chanta Raymond en imitant la voix de fausset de John Lennon.

– «*Après l'avoir vue dans l'éclat de son printemps?* » finirent-ils à l'unisson.

La chanson était finie. Charlie retomba dans sa stupeur. Il regarda son frère, son frère autiste qui venait de passer vingt-quatre ans enfermé dans une maison de repos, son frère qu'il avait autrefois aimé, puis oublié et transformé en être imaginaire.

– J'aimais quand tu me chantais, dit-il à Raymond.

Raymond lui rendit son regard, et, pendant un instant, Charlie pensa qu'il venait d'établir un lien avec lui, que ce contact tant désiré s'était fait, mais Raymond revint à l'évier, reprit sa brosse à dents et pressa de nouveau le tube de dentifrice. Le lien, s'il y en avait eu un, était brisé.

Charlie posa avec précaution la photographie sur le rebord de la baignoire et ouvrit les robinets. La baignoire commença de se remplir.

Non, non, non, non, non, non. La voix de Raymond était chargée d'une indicible peur. Charlie se tourna vers lui. Raymond fixait d'un regard terrifié l'eau qui s'amassait dans la baignoire. Non... non...! continuait-il de crier.

– Calme-toi, Ray, dit Charlie. Pourquoi, non?

– Parce que, non. Raymond se tordait les mains, et son corps était agité de spasmes. Charlie reconnut tous les signes d'une crise de panique. Il devait intervenir avant que Raymond perde complètement les pédales.

– Parce que quoi? demanda-t-il. Ray, dis-le moi, parce que QUOI?

– Parce que... parce que... parce que... bégaya Raymond. Puis, d'une voix sévère, autoritaire, que Charlie ne lui connaissait pas, il cria :

– Mais que veux-tu faire?

Sur ce, Raymond poussa un cri déchirant et se précipita vers la baignoire, essayant d'arrêter l'eau en bouchant le mélangeur avec ses mains, oubliant dans sa panique les robinets, faisant gicler l'eau partout, sur les murs, au plafond, sur lui, sur Charlie.

Pendant un moment, Charlie resta stupéfait par la frénésie de Raymond, puis il réagit et essaya d'écarter Raymond de la baignoire.

Mais Raymond ne se possédait plus. Il agrippa Charlie avec une telle force qu'il lui déchira la chemise. Puis de ses lèvres surgit un torrent de mots criés avec cette voix surprenante, courroucée :

– Non! Non! L'eau est bouillante! Elle le brûle! Que veux-tu faire? Tuer ton frère? Je t'ai dit de ne jamais faire ça. Jamais, tu entends? Je te l'ai dit... je te l'ai dit...

La voix mourut, le tremblement cessa. Raymond relâcha Charlie. Il frissonnait, à présent, comme vidé par son accès de fureur, redevenu un pauvre enfant terrifié.

Pendant une minute Raymond s'était incarné dans son propre père. C'était la voix de Sanford Babbitt qui avait surgi de sa bouche. Et Charlie, qui avait ouvert l'eau, n'avait pas été Charlie, mais Raymond, ce Raymond qui, en ce triste jour, vingt-quatre ans plus tôt, avait voulu donner un bain à son petit frère alors âgé de deux ans.

Et maintenant Charlie s'en souvenait de ce jeune homme de dix-huit ans qui avait voulu le baigner, mais qui ne savait pas comment régler les robinets. Qui ne savait pas vérifier la température de l'eau. Un autiste qui avait voulu bien faire, voulu seulement faire comme maman Elizabeth, qui venait juste de les quitter pour aller vivre parmi les anges. Comme elle, il avait mis le bébé dans la baignoire, et ouvert les robinets, mais l'eau était chaude. Trop chaude, pas assez chaude pour brûler, mais assez pour que le bébé se mette à pleurer.

Et le père, alarmé par les pleurs de Charlie, était accouru, hurlant de colère. L'homme avait perdu sa femme quelques semaines plus tôt, son fils aîné était un autiste, un être coupé de la réalité, et son autre enfant n'était qu'un bébé, en pleurs en cet instant parce que

Rain Man avait fait couler le bain trop chaud pour une peau aussi fragile.

Et Raymond, maudit et béni à la fois par une mémoire phénoménale, incapable d'oublier une seule syllabe des terribles mots que son père lui avait lancés ce jour-là, mots enfouis dans son pauvre cerveau dérangé pendant vingt-quatre ans, venait de les ressusciter à la vue, terrifiante, de Charlie Babbitt et d'une baignoire se remplissant d'eau.

Charlie, qui n'avait jamais ressenti que du mépris pour les faibles et si peu de compassion pour les malades, éprouva soudain une terrible pitié pour son frère. Doucement, il tendit la main vers le visage de Raymond et lui tapota le crâne.

– Ça va, Ray, dit-il tout bas. Ça va bien. Je n'ai pas été brûlé. Je vais bien.

Raymond se raidit au contact de la main de Charlie. Ne pas le toucher, ne jamais le toucher, avait dit le Dr Bruner. Charlie retira sa main.

– Tu as été brûlé, dit Raymond d'une voix étranglée. Et tu étais... un petit bébé. Brûlé. Et j'ai dû partir... dans ma nouvelle maison... Il avait tourné la tête vers Charlie, mais c'était la baignoire qu'il continuait de regarder.

– Non, Ray, dit Charlie, désespérant de rencontrer son regard, souhaitant si fort établir un lien, je n'ai pas été brûlé. Notre père n'était qu'un imbécile. Regarde-moi. Regarde-moi. Regarde-moi. Il t'a envoyé dans cette maison de repos, parce que maman n'était plus là. Voilà pourquoi il a fait ça, ce salaud!

Mais Raymond ne pouvait détacher les yeux de la baignoire, et une expression de panique envahissait son visage. Charlie se retourna, et vit que l'eau continuait de couler. Il s'empressa de refermer les robinets.

Quand il se retourna, il découvrit Raymond à genoux sur le carrelage trempé de la salle de bains. Il était là, frissonnant, les mains sur la poitrine, le regard vide.

– Ray? Ray? C'est fini. Tout va bien.

Mais Raymond ne pouvait plus entendre. Avoir revécu ce cauchemar vieux de près d'un quart de siècle l'avait éteint, refermé comme les robinets. Il frissonnait, claquant des dents, et se balançait d'arrière en avant comme pour se réchauffer.

– Tu as froid, Ray? s'écria Charlie, alarmé. Attends, je reviens de suite. Il se précipita dans la chambre, arracha une couverture à l'un des lits jumeaux, et regagna la salle de bains. S'agenouillant sur le sol à côté de Raymond, il l'enveloppa dans la couverture.

Quand il sentit la chaleur et la texture laineuse l'envelopper, Raymond se détendit un peu. Il cessa de frissonner. Le balancement peu à peu s'arrêta. Mais il continuait de fixer les robinets de la baignoire; comme s'ils possédaient quelque maléfique pouvoir d'hypnose. Enfin il se mit à chuchoter, chuchoter. Triste litanie à peine audible.

– Que dis-tu, Ray? demanda doucement Charlie. Des secrets? Il se pencha vers son frère pour mieux entendre.

– C-h-a-r-l-i-e... chuchotait Raymond. C-h-a-r-l-i-e...

A entendre son nom ainsi incanté, Charlie sentit son cœur se serrer jusqu'à la douleur. Il chercha son souffle. Il avait tellement envie de serrer son frère contre lui, de le bercer comme un enfant. Mais il savait qu'un tel geste ne ferait qu'effrayer Raymond. Ne jamais le toucher! Mais il lui fallait faire quelque chose pour lui! Il ne pouvait pas le laisser comme ça!

« *Elle n'avait que dix-sept ans. A cet âge, c'est bien tentant...* » Charlie se mit à chantonner, et le chuchotement de Raymond cessa, ses yeux abandonnèrent les robinets.

« *... dans l'éclat de son printemps.* » Charlie regarda son frère. Raymond était toujours enfermé dans son propre monde, mais il semblait plus calme.

Quelle ironie, pensa Charlie. *Qui est Rain Man, maintenant? Qui chante, et qui est le bébé dans sa couverture? Rain Man, Rain Man, je t'aime. Chante-moi, Rain Man. Chante-moi. S'il te plaît, chante-moi. S'il te plaît?* Mais Raymond ne savait pas comment ni pourquoi dire « s'il te plaît ». Il ne savait pas demander quoi que ce soit. Il ne savait pas aimer. Il ne le pourrait jamais. Cette pièce-là manquait.

***

Il était tard, très tard. Raymond dormait bruyamment dans le lit voisin, mais Charlie, étendu sur le sien, contemplait le plafond en fumant. Il s'efforçait seulement de ne plus penser. Il n'avait jamais été aussi fatigué de sa vie. Il avait l'impression d'avoir été battu sur tout le corps. C'était la nuit la plus douloureuse qu'il eût jamais passée. Pire que toutes celles qui avaient suivi sa fugue quand, si jeune encore, il s'était retrouvé dans les rues, sans son père, sa mère, sa maison.

Il avait mal et ressentait un crucifiant besoin de réconfort. Charlie Babbitt, qui n'avait jamais eu besoin de personne, qui entretenait des relations en gardant toujours un œil sur la sortie, qui manipulait tout le monde à sa guise et ne payait jamais le musicien qui le faisait danser, Charlie Babbitt voulait maintenant quelqu'un à aimer, quelqu'un qui l'aime en retour. Il voulait Susanna.

Il était tard, mais à Santa Monica il était une heure plus tôt. Charlie attira le téléphone vers lui, et composa le numéro de la jeune femme.

A l'autre bout de la ligne, il attendit le cœur serré que Susanna réponde.

– Allô?

– C'est moi, dit-il doucement.

Silence.

– Ma foi, tu n'as pas raccroché. Est-ce que ça veut dire que nous sommes fiancés?

Susanna ne mordit pas à l'appât.

– Comment va ton frère? demanda-t-elle.

– Oh, tu connais Ray. Il va et vient.

Susanna ne fit aucun commentaire. Charlie ne saurait jamais se montrer sérieux.

– Je... je voulais seulement savoir que... que ce n'était pas terminé... entre nous, dit Charlie. Si seulement il pouvait la voir, la prendre dans ses bras, il se sentait capable de la convaincre de revenir à lui. Comme Susanna ne disait rien, il ajouta :

« Tu sais, j'ai peur... j'ai tellement peur que... ce soit terminé. Retenant son souffle, il collait le récepteur à son oreille, comme pour ne pas perdre un seul son.

Susanna soupira.

– Ne me demande rien aujourd'hui, Charlie. Tu n'aimerais pas la réponse. Attendons, et nous verrons.

Charlie eut un ricanement amer.

– Ça, c'est une chose que je ne sais pas très bien faire.

– Ce n'est malheureusement pas la seule, répliqua Susanna avec une égale amertume. Charlie lui avait fait du mal, et elle n'était pas prête à revenir à lui en courant pour souffrir de nouveau. Il fallait d'abord que ses blessures cicatrisent.

– Eh bien, dit Charlie avec difficulté, je vais prendre l'un des calepins de Ray, et commencer à faire une liste. Il attendit que Susanna réagisse à sa pitoyable plaisanterie, mais comme elle gardait le silence, il lui dévoila soudain ses intentions concernant Raymond.

– Je vais demander sa tutelle, Susanna. La décision du juge dépendra de l'entretien que j'aurai avec le psychiatre chargé de l'expertise.

– Charlie, tu n'as aucune chance de gagner, pas une seule.

– Je dois gagner, Susanna. Je le dois.

– Le Dr Bruner s'est occupé de lui pendant plus de vingt ans. Et toi, tu es avec lui depuis quatre jours. Tu ne vois donc pas que c'est perdu d'avance? Elle marqua une pause, se demandant si elle devait s'apitoyer sur Charlie ou sur Raymond. Mais Susanna était une fidèle. Chéri, tu ne vois donc pas? ajouta-t-elle.

– Écoute, je t'appellerai en arrivant. D'accord?

Susanna ne répondit ni oui ni non, et Charlie en tira le réconfort qu'il put.

– A bientôt, murmura-t-il et, comme Susanna ne répondait pas, il raccrocha doucement. Il reposa sans bruit le téléphone sur la table de nuit et alluma une autre cigarette.

Dans la salle de bains, sur l'eau de la baignoire, flottait une photographie. Elle était craquelée et écornée, mais on y voyait distinctement un grand garçon de dix-huit ans au visage grave et solennel tenant sur ses genoux un petit enfant enveloppé dans une couverture. Des frères.

Chapitre 9

Il était temps d'acheter quelques vêtements à Raymond. Sa chemise et son unique pantalon collectionnaient les taches et les plis, et son linge de corps grisaillait comme un matin d'octobre. Cependant, l'argent posait problème.

Charlie voyait ses ressources rétrécir comme une peau de chagrin. La Buick avait un appétit digne de l'époque où la crise pétrolière n'avait pas encore été inventée. Les chambres de motel n'étaient pas bon marché, les repas encore moins, sans compter la procession d'amuse-gueule dont Raymond meublait ses heures creuses, et un estomac qui semblait l'être toujours. Raymond était le plus heureux, si l'on pouvait dire, quand il ouvrait un paquet de chips ou de crackers. Le compte bancaire de Charlie devait avoisiner le degré zéro, et la dernière fois qu'il avait voulu tirer du liquide avec sa carte de crédit, la machine lui avait refusé tout versement. S'il essayait encore, il y avait fort à parier qu'elle lui mange sa carte, la lui recrache au visage et le place sous mandat d'arrêt.

Ils vivaient maintenant sur la carte Or de l'American Express, mais comme Charlie n'avait pas payé sa cotisation depuis deux mois, il y avait de la panique dans l'air. Si son AMex venait à l'abandonner, que deviendraient-ils? Naturellement, Charlie n'avait aucune envie de partager ses angoisses avec Raymond, encore que celui-ci aurait eu du mal à évaluer le danger.

A la sortie d'Albuquerque, Charlie s'arrêta dans un centre commercial, et Raymond se vit habiller de neuf.

L'AMex avait tenu bon. Linge de corps, chaussettes, pantalon de coton gris, et chemise beige. Ses nouveaux vêtements le chatouillaient un peu, mais il les enfila sans faire de scène.

Pour le récompenser mais également pour s'éviter la dramatique répétition de l'épisode Wapner, Charlie investit dans un téléviseur portable miniaturisé qui, muni d'un bracelet de cuir, pouvait se porter au poignet comme une montre. De cette façon, lui fit remarquer Charlie, il aurait Wapner sous la main. On n'aurait pu, à proprement parler, qualifier d'enthousiaste la réaction de Raymond à la vue du récepteur attaché à son poignet, mais il était manifestement content, et Charlie le fut encore plus en découvrant qu'il pouvait lui faire plaisir.

Raymond sortit du magasin vêtu de neuf et il suivit Charlie jusqu'à la blanchisserie automatique, où ils mirent à laver leur linge sale. Puis Charlie, laissant son frère assis devant la rangée de machines avec un paquet de chips et son téléviseur, alla faire le plein de la voiture. Quand il revint, il trouva Raymond comme il l'avait laissé, le regard fixé sur le hublot de la machine à laver, observant le mouvement perpétuel du linge dans le tambour.

– Tu vois, dit Charlie, c'est le genre de truc que tu devras éviter devant le psy à Los Angeles, regarder comme ça, dans le vide. S'il te voit faire ça, il t'enfermera aussitôt avec les autres dingues.

Mais Raymond, absorbé dans ses pensées, ne l'écoutait pas.

– Tu vois la rouge, dit-il de sa voix sans timbre. Elle tombe toujours à la même place.

Charlie regarda le hublot et remarqua sa chemise rouge tournant avec les autres affaires, mais il ne voyait pas de la même façon ce que voyait Raymond. Pour Charlie, une lessive était une lessive. Ni plus ni moins. Il secoua la tête avec un léger dépit et remarqua le téléviseur que Raymond avait posé à côté de lui sur la banquette. Il était allumé, mais sans le son, diffusant ses images dans un clignotement silencieux. Charlie l'éteignit.

– Tu ne devrais pas le laisser allumé quand tu ne le regardes pas, reprocha-t-il à Raymond. Si tu épuises les piles, plus de Wapner.

Mais Raymond n'écoutait pas.
– Maman lavait mon linge. Et on regardait. Comme ça. Sa voix était très douce à l'évocation de ce bon souvenir. Un souvenir sans peur.
Maman.
– Je ne me souviens pas d'elle, dit Charlie. J'essaie des fois. Et il me semble que je la revois... mais ça doit venir des photos que je connais d'elle.
– Je lui faisais la lecture. A haute voix. Plein d'histoires, dit Raymond sans jamais quitter la machine des yeux et la ronde incessante du linge.
– Et tu lui chantais, n'est-ce pas?
– Non. Elle me chantait. Je te chantais.
– Oh-h-h-h-h! chanta Charlie en s'essayant au fausset des Beatles, espérant que Raymond se joindrait à lui. S'il ne commençait pas dès maintenant à modifier certains comportements de son frère, il n'aurait pas une seule chance face au « psy » chargé d'examiner son frère.
Mais la chanson n'intéressait pas Raymond. Son attention se portait exclusivement sur la chemise rouge qui retombait toujours à la même place dans le tambour.
Charlie approcha son visage de celui de Raymond.
– Fais-moi un sourire. Un grand sourire, ordonna-t-il, en lui montrant le sien.
Raymond hésita un peu avant de l'imiter.
– Bravo! applaudit Charlie. Et maintenant un rire. Ton meilleur rire.
Cette fois l'hésitation fut plus longue, mais Raymond finit par pousser une série de hoquets somme toute proche de bien des rires.
– Hé-hé-hé-hé!
– Tu as des aptitudes, Ray. Des aptitudes. Charlie sourit à son frère. Raymond accomplissait des progrès, et Charlie était très content de lui-même. *Continue, continue,* s'encouragea-t-il.
– Tu as des aptitudes, Charlie Babbitt, disait papa.
Le sourire de Charlie s'effaça au souvenir de son père. Aptitudes! Comme il détestait ce mot chez cet homme à l'excessive sévérité.
– Ouais, dit-il, mais juste un détail, Ray. Appelle-moi Charlie, d'accord. Laisse tomber le Babbitt.
Raymond ne répondit pas. Il était de nouveau tout entier aux rotations du linge dans la machine.

– La rouge, hein? dit Charlie, la joue appuyée contre sa main gauche. Raymond imita sa posture, jambe croisée, joue contre paume de la main gauche et, pendant quelques minutes, les deux frères assis côte à côte dans une gémellité gestuelle, regardèrent tourner la chemise rouge dans le tambour de la machine.

Mais Charlie était encore un homme d'affaires, et il n'avait pas du tout son temps devant lui. Laissant Raymond poursuivre son observation transcendantale, il gagna la cabine téléphonique située à l'extérieur de la blanchisserie. Il était l'heure d'appeler « BABBITT EXPO ».

– Lenny, c'est moi.

– Ça fait trois heures que je poireaute à ce téléphone, lui parvint la voix accusatrice de Lenny Barish.

– Oui, je suis désolé. J'ai eu... pas mal de trucs à faire. Comment pouvait-il expliquer qu'il avait pour le moment sur les bras un frère autiste? J'ai dû faire... quelques courses.

– Charlie, c'est terminé, l'interrompit Lenny. Terminé!

– Quoi? Qu'est-ce qui est terminé? Écoute, Lenny, je suis à Albuquerque. Je serai à L.A. dans...

– Wyatt a trouvé les voitures. Il les a trouvées et il les a emportées. C'est fini, Charlie.

Charlie ouvrit la bouche et la referma. Que peut-on dire quand le ciel vous tombe sur la tête? Il sentait son propre sang se changer en glace et gagner lentement son cœur. « Terminé », il comprenait maintenant très bien le sens de ce mot. Il ferma les yeux, incapable de réfléchir. Le pire venait de se produire, et la cervelle de Charlie Babbitt ne fonctionnait plus.

– Bateman et les autres veulent leurs arrhes, annonça Lenny sur un ton de jugement dernier. Ça fait quatre-vingt-dix mille, Charlie.

Le gosse n'avait pas besoin de lui rappeler combien ça faisait. Il savait encore compter. Quinze mille par six, c'était facile comme multiplication. De toute façon, pour la différence que cela faisait, quatre-vingt-dix mille ou neuf cent mille ou même neuf millions, c'était du kif pour la bourse vide de Charlie. Il était un homme mort.

– Bateman dit que t'auras pas de quoi te payer une

peau de chamois quand il en aura fini avec toi, poursuivit Lenny, prenant un plaisir évident au désastre qui frappait Charlie. Celui-ci l'avait salement abandonné tous ces derniers jours, alors que la meute des créanciers se resserrait autour de lui. Il prenait maintenant sa revanche. Il veut son argent, vendredi au plus tard. Qu'est-ce que je dois faire?

Il sembla à Charlie que quelque part dans un cimetière des environs de Cincinnati résonnait un rire d'outre-tombe. Qu'est-ce que ça pouvait bien lui foutre à présent ce que Lenny devrait dire à Bateman et compagnie? Wyatt venait de le torpiller, et il sombrait corps et biens.

– Dis-lui que le chèque est au courrier, dit-il, et il raccrocha. Ce qu'il pouvait voir de son avenir, au cas où il s'y intéressait encore, n'était pas joli-joli.

Charlie contemplait sa nourriture refroidir dans son assiette. Il déplaça un peu son steak, mais rien ne l'incitait à en avaler un morceau. Il n'avait pas faim, n'aurait plus jamais faim. Les morts ne mangent pas. Il écrasa sa Lucky entre deux frites et soupira de nouveau.

Raymond, lui, avait très bien mangé. Les petits carrés de hamburger avaient disparu beaucoup moins lentement que de coutume. Raymond avait passé une bonne journée. Des vêtements neufs et un téléviseur miniature pour Wapner. Une longue et belle promenade dans la voiture de papa sur une route ensoleillée d'Albuquerque à Joseph City, dans l'Arizona. Et maintenant ils se trouvaient dans ce confortable restoroute où il avait mangé un gros hamburger avec des frites. Charlie lui avait découpé sa viande et arrosé ses frites de ketchup. Il aimait le ketchup, surtout sur les frites.

Et enfin il y avait ce petit juke-box sur le mur au-dessus de leur table. Avec un tas de chansons. Cent quarante. Leurs titres tenaient sur des cartes de plastique au nombre de quatorze. Pour écouter le morceau qu'on voulait, il suffisait de mettre une pièce dans l'appareil, de composer la lettre et le chiffre correspondant au titre.

Fasciné, Raymond tournait le tambour des cartes. Rapidement. Clic, clic, clic, clic.

Quelqu'un avait dû mettre une pièce parce que Raymond entendait la chanson de Patsy Cline, *Doux Rêves.*

– E-19, dit-il.

Charlie regarda son frère assis en face de lui. Quoi? Patsy Cline? Et alors! Puis il lui vint une idée.

– Ce numéro, B-19.

– E-19, corrigea Raymond.

Comment était-ce possible? Raymond avait tourné le catalogue si rapidement qu'il ne pouvait avoir lu les titres, et encore moins les mémoriser. Personne n'était capable de ça.

– C'est la chanson qu'on entend?

– C'est la chanson qu'on entend.

Charlie regarda fixement Raymond en rongeant l'ongle de son pouce, alors qu'une idée germait en lui et que l'espoir renaissait dans son cœur.

– Mets tes mains sur les yeux, lui dit-il en lui montrant le geste.

Imiter un geste, ça, Raymond savait le faire. Il mit les mains sur ses yeux. Charlie commença à tourner le tambour.

– *Le Joueur*, de Kenny Rogers? demanda-t-il, choisissant une chanson au hasard.

– J-12, répondit Raymond. Vite et juste.

– *Cœur menteur*, de Hank Williams?

– *Ton Cœur menteur*, corrigea Raymond, sérieux comme un pape. Hank Williams Junior.

– D'accord, frimeur. Quel numéro?

– L-4.

Incroyable! L'abattement de Charlie se dissipa comme fumée au vent. Un grand sourire illumina son visage.

– *Lune bleue*, de Bill Monroe.

– Bill Monroe et les Bluegrass Boys. P-11, répondit Raymond.

Stupéfiant! Et avec les mains sur les yeux encore! C'était un génie. Raymond Babbitt était un génie, et quel génie!

« Des aptitudes remarquables, avait dit le Dr Bruner. Un savant. »

Un grand et beau soleil venait de se lever à l'horizon pour Charlie Babbitt. Ces « remarquables aptitudes » allaient peut-être lui sauver la vie!

– Ray, mon frère, nous allons bien nous amuser, tu vas voir! promit-il. Tu n'as jamais joué aux cartes?

***

Charlie acheta trois jeux de cinquante-deux cartes. Prenant pour table le capot de la Buick, il les étala et montra les figures à Raymond, depuis les deux jusqu'aux as. Puis il battit les trois jeux ensemble sous le regard attentif de Raymond.

– Fais bien attention, dit-il à Raymond.

Raymond hocha la tête. Il faisait bien attention.

– Tu es prêt?

Hochement de tête. Raymond était prêt.

Charlie se saisit de l'énorme pile de cartes et commença à les distribuer rapidement, ne laissant qu'une seule seconde à Raymond pour voir la carte qu'il jetait avant que celle-ci se trouve recouverte par la suivante. Flip, flip, flip, flip. Le tas s'éleva lentement. Quand il eut distribué plus de la moitié des trois jeux, Charlie posa ce qu'il lui restait sur le capot, et il regarda Raymond.

– Bon, tu pourrais me dire maintenant ce qui reste à distribuer?

Raymond n'hésita pas une seconde.

– Neuf as, sept rois, dix reines, huit valets, sept dix, six...

Charlie leva la main, et Raymond se tut aussitôt. Un incroyable compteur de cartes, un génie capable de terroriser toutes les tables de black-jack du monde entier! De quoi couler tous les casinos de la planète! Les patrons des boîtes de jeux en perdraient le sommeil s'ils connaissaient l'existence d'un phénomène pareil. La photographie de Raymond Babbitt serait affichée à l'entrée de toutes les salles. Et ça faisait des jours que Charlie était assis sur une mine d'or sans le savoir.

– Des aptitudes, murmura Charlie en souriant d'avance à ce qu'elles lui ouvriraient. L'homme a des aptitudes. Tu es prêt à tenter le coup? demanda-t-il à Raymond.

– Prêt à tenter le coup.

– Alors, allons-y. En voiture!

Quand Raymond fut assis dans la Buick, Charlie

démarra sur les chapeaux de roues. Les cartes sur le capot s'envolèrent dans leur sillage en une pluie de cœurs, de trèfles, de piques et de carreaux.

Ils allaient toujours en direction de Los Angeles, mais feraient un court détour par Las Vegas, capitale du jeu aux États-Unis, afin que Raymond Babbitt puisse y ridiculiser le hasard.

***

Joseph City, dans l'Arizona, était à moins de deux cents kilomètres de Las Vegas, un trajet de deux heures à travers le désert. Charlie quitta la route 40 pour prendre la 93, qui filait droit sur Vegas. Tout en conduisant, Charlie expliqua à Raymond les règles du jeu. Il n'avait pas besoin de se répéter, il savait que Raymond ne pouvait oublier ce qu'il entendait ou lisait.

– Rappelle-toi, le jeu s'appelle vingt-et-un ou black-jack. Ils distribuent les cartes qui sont dans un sabot. Ça s'appelle un sabot, mais ça ne ressemble pas à celui des chevaux ou à ceux qu'on porte aux pieds. Ce qu'il faut savoir, c'est que le croupier ne peut tirer d'autre carte si celles qu'il a en main font dix-sept. S'il a dix-sept et que toi, tu as entre dix-sept et vingt et un, tu gagnes. Compris?

– Compris.

– Si tu tires une carte et que tu dépasses vingt et un, tu perds. Ton argent. Compris?

– Compris.

– Si tu as dix en main et que tu tires un dix, quel qu'il soit, dix, valet, dame, roi plus un as, tu gagnes. Tu fais black-jack. Compris?

– Compris.

– Si tu veux que le croupier te donne une autre carte, tu grattes la table, tu secoues la tête ou tu dis « Servi ». Si tu as dix-huit, tu ne demandes pas d'autre carte. Ne demande jamais de carte si ton jeu se monte à dix-huit ou plus. Compris?

– Compris.

– Si tu peux compter ce qui a déjà été distribué, et ce qui reste dans le sabot, et que tu sais que le sabot est rempli de dix ou bien de petites cartes, alors tu sais si tu dois demander une carte pour avoir un nombre élevé plutôt que de rester avec un petit, donc c'est mieux s'il reste beaucoup de dix dans le sabot. Compris?

– Compris.

– Il y aura au moins trois jeux de cartes dans le sabot, peut-être plus. Peut-être quatre et même cinq. Tu devras tous les compter. Compris?

– Compris. Est-ce que je peux conduire, Charlie Babbitt?

– Non. Maintenant, écoute-moi bien. Quand il y aura beaucoup de dix dans lc sabot – des dix et des figures –, alors ce sera bon pour nous.

Comme Charlie ne lui avait pas demandé « Compris? », Raymond ne pouvait répondre.

– Allez, répète, le pressa Charlie.

– Des dix, ce sera bon, des dix, ce sera bon, des dix, ce sera bon! Raymond semblait content de lui-même, peut-être parce que Charlie était visiblement satisfait de lui.

– Et tu parieras...

– Un jeton, si c'est mauvais, deux jetons si c'est bon.

– Et... Charlie attendit d'entendre la leçon la plus importante de toutes, celle qu'il n'avait cessé de faire à Raymond durant les dix derniers kilomètres.

– Je garde ma bouche fermée. Raymond ouvrit la bouche et la referma avec un claquement de dents, et il attendit une approbation de Charlie. Celui-ci approuva d'un signe de tête.

– Les casinos ont des règles. La première est qu'ils n'aiment pas perdre. Aussi ne montre jamais, jamais, que tu comptes.

Raymond se tourna vers Charlie et dit :

– Je compte, je compte, je compte, ha!

– Si tu dis ça en public à Las Vegas, alors tu nc me reverras jamais plus.

Raymond ne broncha pas, mais son visage perdit de l'animation que Charlie lui avait vue pendant les dernières heures. Il avait soudain l'air si penaud que Charlie lui fit un grand sourire, que Raymond s'empressa de lui rendre comme il savait si bien le faire.

– C-H-A-R-L-I-E... lança-t-il joyeusement. C-H-A-R-L-I-E...

Cette fois, on était très loin du chuchotement apeuré.

*
* *

N'importe qui peut entrer dans un casino, tenter sa chance aux appareils à sous, les « bandits manchots », et même risquer de petites mises à la roulette. Mais si vous voulez vous asseoir aux tables de black-jack ou de baccara, il vaut mieux être sapé comme vos élégants voisins et avoir l'air de quelqu'un ayant les moyens de perdre son argent. Les casinos ont leurs espions, et tout comportement suspect vous vaut généralement l'exclusion immédiate, même si vous êtes un gros joueur. Or Raymond se présentait au départ avec deux sérieux handicaps. Non seulement il avait toutes les mimiques et les gestes d'un demeuré mais encore il en avait l'habit.

Bien entendu, celui-ci ne faisait pas le moine, et si l'American Express ne trahissait pas Charlie, Raymond allait changer de « look ». Une coupe de cheveux et les soins d'une manucure pour commencer, un costume, un qui tomberait à la perfection au lieu de ces fringues sans forme achetées au supermarché, et des pompes bien cirées allaient vous transformer le vilain petit canard en cygne dans toute sa splendeur.

Mais le cygne n'était pas moins psychotique que le canard, et l'avenir n'était qu'un gros et inquiétant point d'interrogation. Une fois que les regards auraient apprécié le costume pour s'intéresser au visage et qu'ils découvriraient cette expression d'automate ou, pire, des yeux roulants dans leurs orbites comme des boules de loto dans le cylindre de la chance, comment les gens réagiraient-ils? Que se passerait-il si Raymond piquait une crise à la table de jeu? Brave et imprévisible Raymond, on ne s'ennuyait jamais avec lui.

Mais Charlie devait tenter sa chance. Décrocher deux ou trois gros gains, et se tirer. Il lui fallait gagner de quoi rembourser Wyatt et rendre aux clients les arrhes qu'ils avaient versées, sinon il ne pourrait plus jamais travailler à Los Angeles. Avec un peu de chance il pourrait sauver l'affaire des Lamborghini. Il pourrait peut-être même rentrer à L.A. avec une fortune en poche. Pourquoi pas? Ça s'était déjà vu, non? Tout dépendait de Raymond.

Ils atteignirent Las Vegas alors que la nuit commençait

de tomber et que la ville s'illuminait de tous ses feux. On eût dit quelque gigantesque feu d'artifice retombé tout enflammé sur le sol. Une forêt d'enseignes de néon imaginée par un éclairagiste mégalomane se dressait devant eux. Jamais Raymond n'avait vu semblable merveille, et ses yeux lui en sortaient de la tête tandis qu'il se tordait le cou pour ne rien manquer du fabuleux spectacle.

Ce soir ils descendraient dans un hôtel bon marché. Demain Charlie préparerait son poulain. Demain soir serait le grand soir. Ils feraient leur entrée au Caesar's Palace, le plus grand casino de la ville, et ce serait à Raymond de jouer.

Charlie soupira, secoua la tête. Dommage qu'il ne fût pas croyant : une prière lui aurait été d'un grand secours.

Chapitre 10

Les miracles, ça existe. Il s'en produisit un quand la carte Or de l'American Express ne rendit pas son âme chez le tailleur le lendemain matin. Charlie se demanda même si la carte ne lui fit pas un clin d'œil complice, quand elle sortit de la vérification diligentée par l'honorable commerçant. Toujours est-il que Charlie et Raymond avaient maintenant sur le dos deux superbes costards d'un fin tissu anglais sombre comme un ciel londonien mais coupés avec un brio tout italien. Très chers, naturellement, mais qui valaient plus qu'ils ne coûtaient.

Suivirent deux chemises de lin de couleur crème et deux cravates de soie verte, une pour Raymond, une pour Charlie. Raymond semblait préférer les cravates, particulièrement le fait qu'elles étaient identiques. Tandis qu'il s'efforçait de remonter la taille du pantalon jusqu'à la hauteur de ses aisselles, Charlie obtint du tailleur que les quelques retouches nécessaires soient faites avant le coucher du soleil.

Quand Charlie aventura de nouveau sa carte de crédit dans le distributeur de billets, il sentit son ventre se nouer. Il avait désespérément besoin de liquide pour acheter le minimum de jetons qui leur permettrait de prendre place à la table de jeu. Si la carte était refusée ou, pire encore, avalée, ce serait la fin pour Charlie Babbitt et ses rêves.

Mais un miracle n'arrive jamais seul, et le bourdonnement de la machine tirant la langue en billets de cent lui redonna le sourire et la confiance en sa bonne étoile.

Le prochain arrêt était le salon de coiffure. Coupe de cheveux, barbe, manucure, souliers cirés. Raymond observa et subit tous ces préparatifs sans broncher, mais d'un œil enregistrant chaque chose dans son plus infime détail. Seule la serviette chaude faillit provoquer une panique. Quand il la vit arriver, fumante de vapeur, il se raidit sur son siège, et Dieu seul sait ce qui se serait produit si Charlie n'était promptement intervenu.

– Pas de serviette chaude.

– Mais, monsieur, pour bien dilater les pores, il faut...

– Pas de serviette chaude, entendu?

Raymond put de nouveau se détendre et suivre avec la même attention passionnée la suite des opérations.

Le résultat de ces coins coûteux ne manqua pas d'étonner Charlie. Raymond paraissait... normal. Mieux que normal... superbe. Une fois qu'il aurait enfilé son beau costume, il n'y avait pas un casino dans le pays qui ne serait fier d'accueillir un client aussi distingué!

Ils avaient la journée à tuer, et Charlie fit visiter à Raymond Las Vegas. De jour, la ville ressemble à une prostituée qui s'est couchée sans se démaquiller. Les enseignes au néon continuaient de clignoter, leurs couleurs délavées par la vive lumière du désert. Mais Raymond n'en avait cure. Il absorbait toutes choses du regard, fasciné par les façades baroques des hôtels, leurs marquises jaillissant au-dessus des trottoirs comme pour annoncer une soirée de gala, les petites chapelles où de jeunes couples se mariaient à la sauvette, les motels remplis d'appareils à sous, jusque dans leurs toilettes.

Il y a des dizaines d'années Las Vegas n'était qu'un trou perdu sur la route de Los Angeles, où l'on s'arrêtait pour faire le plein, manger un morceau et redémarrer. Puis quelqu'un avait eu la bonne idée de légaliser les jeux d'argent dans l'État du Nevada. Et là, en bordure du désert, une ville avait poussé comme un champignon pour se vouer corps et âme au dieu du hasard et devenir un gigantesque centre de loisirs dont le but avoué était de vous délester de votre argent. Il n'y avait pas un seul endroit dans tout Las Vegas où l'on eût pas l'opportunité de perdre quelques dollars.

Dans la petite gargote où ils s'arrêtèrent pour déjeuner, les murs étaient décorés de dés à jouer, les napperons en papier des tables de cartes à jouer. Une pile de billets de loto était posée sur chaque table, et le mur au fond de la salle offrait sur toute sa longueur une belle variété de bandits manchots. Quand la serveuse venait prendre votre commande, elle prenait en même temps votre grille du loto et les dollars que vous y jouiez. Le bruit des sphères tournoyant avec leurs boules et la voix amplifiée annonçant les numéros sortants couvrait celui du juke-box diffusant obstinément une musique de ploucs.

Le loto fascinait Raymond. Il aurait pu passer la journée à observer les boules danser dans les sphères. C'était encore mieux qu'à la blanchisserie. A le voir, Charlie pensa que si jamais quelqu'un pouvait percer les secrets du loto, c'était bien lui. Il ne faisait aucun doute que son génie arithmétique saurait démêler l'écheveau des probabilités et trouver les numéros gagnants. Mais le loto était, du moins sous la forme jouée ici, un jeu de gagne-petit, tout juste bon pour des retraités venus tromper leur ennui en risquant deux dollars. Du menu fretin.

Ce que Charlie visait, c'était la table de black-jack au Caesar's Palace, là où les mises étaient les plus fortes. Toutefois, gagner le gros lot dans ce genre de temple exigeait de la Providence un miracle plus grand que celui consenti chez le tailleur. Il n'empêche, Charlie s'était mis à croire aux miracles, malgré quelques pointes d'anxiété dont l'ongle de son pouce faisait les frais. Tout dépendait de quelques tours de cartes et de la capacité de Raymond à prédire quelles seraient ces cartes sans se faire remarquer ni piquer l'une de ces crises dont Charlie avait été le témoin.

La Buick s'arrêta à un feu rouge, et Raymond contempla, fasciné, la monumentale entrée d'un grand hôtel brillant de mille ampoules.

– Il y en a des lumières, hein? dit Charlie.

– Il y en a des lumières, répondit Raymond.

– Combien d'ampoules, Ray?

– Deux cent vingt-huit.

– Rain Man a parlé! s'exclama Charlie en riant. Ils avaient une chance.

***

Encore un miracle. Les costumes étaient prêts à l'heure convenue et, merveille des merveilles, ils leur allaient à la perfection – perfection qui ne semblait pas du goût de Raymond, qui brûlait d'envie de remonter son pantalon jusqu'à hauteur de son menton. Pas de doute, ils n'en ressemblaient pas moins à deux hommes d'affaires new-yorkais venus se distraire à Vegas, quand Charlie arrêta la Buick devant l'entrée du Caesar's Palace, tendit la clé de contact au portier pour qu'il aille la garer, et pénétra avec Raymond dans le vaste hall de l'hôtel.

Raymond n'avait jamais vu pareille splendeur. Il suivait Charlie à quelques pas derrière, distrait par la fontaine aux eaux multicolores, par les statues des empereurs romains et par l'allée de boutiques de luxe qui s'enfonçait à travers la gigantesque bâtisse, sans parler de toutes ces machines à sous et des sphères de loto. Tout cela était fascinant. Pendant un moment Charlie faillit le perdre, quand Raymond s'en fut essayer l'un des bandits manchots. Il actionna le levier, comme il l'avait vu faire. L'appareil resta inanimé. Raymond ne savait pas qu'il fallait d'abord mettre de l'argent pour que ça marche. Il continuait sans succès à tirer sur le levier quand Charlie le repéra. Il le rejoignit et glissa une pièce dans la fente.

Cette fois le tambour tournoya avec ses rangées de figures devant un Raymond stupéfié par ce prodige. Le cylindre stoppa. Deux bananes et un citron. Perdu. Qu'importe, Raymond en redemandait, et Charlie dut lui promettre :

– Plus vite nous en aurons terminé avec les cartes, plus vite nous reviendrons ici.

Comme ils se dirigeaient vers les autres salles de jeux, une clameur retentit derrière eux. L'un des bandits manchots payait le jackpot dans un carillonnement de cloches qui se mêlait au bruyant cliquetis des dollars en argent se déversant dans le panier. La gagnante, une fort belle matrone aux formes amples, sautillait sur place en criant de joie, tandis que les autres joueurs s'empressaient auprès d'elle pour la congratuler.

– Tu vois? C'est formidable quand on gagne! s'écria Charlie. Elle a gagné. Elle est heureuse. Tout le monde l'embrasse.

Raymond se détourna du spectacle pour regarder Charlie. Trop tard pour se rappeler que Raymond ne supportait pas qu'on le touche. Il pouvait voir qu'à cette seule idée, son frère se raidissait déjà.

– Euh... quand on gagne aux cartes, personne n'embrasse personne.

Oublieux du danger de contact, attiré qu'il était par le joyeux brouhaha, Raymond dériva en direction des appareils. Il voulait revoir les figures tournoyer puis s'immobiliser, entendre les cloches carillonner pour lui. Charlie dut le rattraper, et vite.

– Écoute, si nous ne jouons pas aux cartes, nous n'aurons pas d'argent, et alors on te renverra à la maison de repos, dit-il à Raymond d'une voix basse. Et sais-tu comment tu feras le voyage?

Raymond ne répondit pas mais il regardait Charlie avec attention, attendant la réponse. Plaçant ses deux bras à l'horizontale, Charlie imita l'avion.

– Vrrrrrrrrrr....

Le message était cruel, mais il était clair, et Raymond le perçut facilement. Il se détourna des machines et suivit Charlie. La tête haute, les épaules bien droites, les deux Babbitt entrèrent dans la vaste salle circulaire où les tapis verts luisaient doucement sous les lustres. Les flambeurs étaient arrivés. Que les jeux commencent! Place à ceux qui firent sauter le casino de Monte-Carlo!

Il n'y a ni jour ni nuit dans un casino comme le Caesar's. La chance ne connaît pas de repos. Vingt-quatre heures sur vingt-quatre elle tourne, et avec elle la ronde des mauvaises et des bonnes fortunes. Une pénombre dorée assiège les hauts plafonds mais chaque table brille sous la lumière d'un lustre et ressemble à une île isolée des autres et comme refermée sur elle-même. Ainsi les joueurs sont-ils moins distraits, et les patrons et leurs « yeux » ont-ils moins de mal à suivre le déroulement des parties. Entre les tables ne circulent le plus souvent que de belles hôtesses portant des plateaux de boissons. Les joueurs assoiffés n'ont pas à quitter leurs tables.

Charlie avait établi un système de pari d'une simplicité exemplaire. Raymond jouerait un jeton s'il jugeait que les cartes ne leur étaient pas favorables, deux si le sabot était pourvu d'un nombre assez élevé de dix pour qu'ils soient sûrs de gagner. Charlie, lui, miserait les plus fortes sommes, calquant son jeu sur celui de Raymond, jouant peu quand Raymond avancerait un seul jeton, jouant gros quand Raymond irait de deux.

Charlie possédait juste assez de liquide pour acheter une poignée de jetons. Pas les rouges à cinq dollars pièce ni les noirs à cent dollars mais une bonne poignée de verts, à vingt-cinq dollars. Avec un peu de chance, Raymond et lui les changeraient pour des noirs, puis pour ces belles plaques blanches, qui valaient cinq cents dollars. Avec beaucoup de chance, ils passeraient alors aux plaques jaunes, mille dollars pièce, et peut-être même, pourquoi ne pas rêver? aux violettes à cinq mille.

Il y avait du monde aux tables. Ils passèrent devant celles où l'on jouait aux dés et à la roulette, et Charlie dut pousser Raymond, de nouveau fasciné par cette roulette scintillante qui tournait en faisant valser une bille d'acier aux arrêts aussi incertains que pervers.

– A quoi jouons-nous? chuchota-t-il à l'oreille de Raymond.

– Aux cartes. Vingt-et-un.

– Oui, c'est comme ça que s'appelle le jeu, Ray.

Les tables de black-jack étaient tellement encombrées qu'ils durent attendre plusieurs minutes avant de trouver deux sièges côte à côte. Charlie posa une petite pile de jetons verts devant lui et une autre petite pile devant Raymond. Puis il ferma les yeux, respira à fond et croisa les doigts.

Une heure plus tard, les deux hommes étaient toujours là, et les deux petites piles avaient considérablement grossi, en même temps qu'elles s'étaient panachées de jetons et de plaques de couleur noire, blanche et même jaune. Le talent de Raymond était en vérité stupéfiant, et Charlie voyait son rêve s'accomplir sous ses yeux.

Ce que Charlie n'avait pas saisi chez son frère, et ce qu'il ne pouvait certainement pas savoir des savants autistes en général, c'était l'extraordinaire intensité de la concentration qu'une personne comme Raymond était capable de soutenir quand un sujet le passionnait. Durant ces quelques jours passés sur la route en sa compagnie, Charlie n'avait observé que l'aspect apparemment contraignant de cette concentration. Wapner, par exemple. Quand Raymond s'asseyait pour regarder « La

Justice est à vous », un tremblement de terre ne l'aurait pas détourné de son attention. Les occupations les plus simples, tels les repas, déclenchaient invariablement la même concentration.

Chez une personnalité autistique comme celle de Raymond, toutes choses étaient d'égale valeur. La vie, la mort n'avaient pas pour lui une importance plus grande que Wapner ou un cornet de frites. Charlie avait interprété négativement cette obstination, cette canalisation totale de l'activité, qui ne lui avait causé jusqu'ici que des désagréments. Or, à présent, il contemplait, médusé, l'adret de cette concentration, son versant riche. Oui, le spectacle était rare et merveilleux à observer.

Qui plus est, Raymond était trop absorbé pour paraître bizarre à des regards étrangers. Il était parfaitement indifférent à l'environnement, trop attentif pour être dérangé ou se sentir menacé. Son monde se limitait aux trois jeux de cartes contenus dans le sabot et à la silencieuse comptabilité qu'il en faisait. Et quelle comptabilité!

Mais les machines les plus perfectionnées ne sont pas à l'abri d'un grain de sable, et les cerveaux des génies sont traversés d'éclairs pas toujours créateurs.

A cet instant Raymond avait dix-huit en main. Charlie tira un six et un quatre. Parfait. Aucune chance qu'il chute avec la carte suivante. Mais elle devrait valoir dix, ce qui lui ferait vingt. Un gain assuré.

Raymond gratta la table, le signal pour une autre carte. Charlie ouvrit la bouche pour protester. Quand on a dix-huit, on reste servi. On ne demande pas de carte. Il avait pourtant bien recommandé à Raymond de ne jamais demander au-dessus de dix-huit. A dix-huit, on était, à dix-huit on restait!

– Vous voulez une carte? demanda le croupier, étonné.

– Il ne veut pas de carte, intervint Charlie. Ray, tu as dix-huit.

– Je veux une carte, insista Raymond.

Le croupier s'exécuta et fit glisser une nouvelle carte du sabot. Un dix de trèfle. Raymond avait perdu. Plus grave, cette carte aurait dû revenir à Charlie. Raymond serait resté servi, Charlie aurait fait vingt, et battu largement la banque qui avait quinze. Mais quelque mécanisme chez Raymond avait soudain fait défaut.

– Tu vois, tu m'as pris ma carte, lui reprocha Charlie, incapable de dissimuler son irritation.

Erreur. Le prenant au mot, Raymond prit son dix de trèfle et le posa sur les cartes de Charlie, en rectifiant maniaquement sa position pour bien faire.

– Je ne peux pas prendre la tienne, expliqua Charlie en lui rendant la carte. Je dois tirer la mienne.

Deuxième erreur.

– Il y a encore plein de dix dans le sabot, dit Raymond avec assurance.

Le croupier cligna les yeux. Avait-il bien entendu? Son étonnement, aussi bref fut-il, n'échappa pas à Charlie, qui commença à s'inquiéter. Il doubla quand même son pari, séparant son six et son quatre et doublant sa mise pour avoir deux mains au lieu d'une. Le croupier lui lança un regard bref avant de reprendre la distribution des cartes. Une reine au type en bout de table, un dix à la femme assise à côté de lui. Un dix pour Charlie, et une autre reine pour le croupier. La banque perdit, et Charlie se vit pousser devant lui un joli paquet de plaques.

– Il y en a tout un tas, dit de nouveau Raymond. Deuxième clignement de paupières du croupier, plus accentué cette fois. Tout un tas de dix? Est-ce que ce type comptait les cartes? Il était prudent d'ajouter un autre jeu au sabot.

La carte suivante dans le sabot était le marqueur blanc annonçant un nouveau jeu. C'était au tour de Raymond de replacer le marqueur dans le sabot, aussi le croupier poussa-t-il poliment le sabot devant lui.

Cette manœuvre décontenança complètement Raymond. Charlie ne lui avait rien dit de tout cela. Comme le croupier attendait en le regardant, il se tourna vers son frère.

– Place le marqueur parmi les carte, Ray.

– Où?

– Où vous voudrez, monsieur, dit le croupier.

D'une main hésitante Raymond ramassa le marqueur et regarda de nouveau vers Charlie, cherchant son soutien. Charlie l'encouragea d'un hochement de la tête, mais Raymond continua de tenir le marqueur en ne sachant manifestement pas qu'en faire. Son regard allait du marqueur au sabot, et du sabot au marqueur. Charlie lui fit signe de se décider. *Vas-y, Bon Dieu!* Il était terrifié à l'idée que le comportement bizarre de Raymond ne leur vaille non seulement la curiosité des autres joueurs mais surtout celle, moins amène, des gens du casino.

– Aujourd'hui, dit Charlie.

Raymond le regarda.

– Fais-le aujourd'hui, lui dit impatiemment Charlie.

– Jeudi, dit Raymond, et il retourna à son dilemme du marqueur et du sabot, avançant le premier au-dessus du second, le retirant, l'avançant de nouveau, valse infinie.

– Tu veux bien le mettre dedans? aboya Charlie en lui assenant une claque sur l'épaule.

Raymond grimaça. Sa main trembla et finit par lâcher le marqueur parmi les cartes. Son supplice venait de prendre fin mais l'incident n'avait échappé à personne.

– Est-ce que ça me vaut d'être inscrit sur la liste? demanda Charlie d'un ton léger, mais plaisantant à moitié. Il était sincèrement désolé d'avoir frappé Raymond, ne fût-ce que d'une claque sur l'épaule.

Raymond réfléchit à la question.

– Ce n'était pas une Blessure Grave, décida-t-il. Sûr, tu as le numéro dix-huit...

– Ouais, en 1988, dit Charlie avec un sourire. Mais dis-moi, ça arrive qu'on soit effacé de la liste? demanda-t-il en posant un regard sérieux sur Raymond.

– Quand un nom est sur la liste, il ne s'efface pas, répondit Raymond, catégorique.

Charlie hocha tristement la tête, et cette tristesse ne manqua pas de l'étonner. Il dut s'avouer qu'il aimerait bien ne plus être sur la liste des Blessures Graves de son frère.

– Paris, messieurs? demanda le croupier.

Charlie leva les yeux. Pendant une minute il avait oublié où il se trouvait. Il s'était senti seul avec Raymond, tous deux coupés du monde. A présent, quatre paires d'yeux, celles des trois autres joueurs et du croupier, étaient fixées sur eux.

Raymond posa un jeton sur le tapis, signal que Charlie interpréta comme convenu : les nombres n'étaient pas en leur faveur. Aussi ne risqua-t-il qu'un seul jeton.

– OHHHH, dit soudain Raymond. Il misa un deuxième jeton. Et Charlie s'empressa de miser tout un tas de plaques.

– Vous êtes prêts, messieurs? leur demanda-t-il, amusé. Il commença à distribuer les cartes. Raymond tira dix-neuf, et Charlie...

– Balck-jack! Vingt et un, annonça le croupier, la banque paie double. Les autres joueurs firent plus de vingt et un, mais le croupier tira un cinq de cœur qui, s'ajoutant à son seize, fit :

– Vingt et un! Black-jack! Il ramassa tous les jetons, à l'exception de ceux de Charlie.

Charlie était aux anges alors qu'il récupérait sa mise. Le joueur voisin de Raymond, un homme grisonnant, vêtu d'un élégant costume, se pencha vers lui et lui dit :

– Vous avez une belle cravate.

– Elle est verte.

– J'ai remarqué.

– A la maison, confia Raymond, si vous ne mettez pas quelque chose de vert le jour de la Saint-Patrick... vous... vous recevez une claque!

L'homme ouvrit de grands yeux.

– Mais... mais la Saint-Patrick, c'était il y a huit mois...

Le jeu s'arrêta. Calloway, le chef des tables, accompagné d'un garde en uniforme, vint relever la « banque », remplie d'argent, pour la mettre au coffre et compter les jetons et les plaques restant au croupier, afin de s'assurer qu'elles correspondent au gain. Le chef avait à la main une planchette sur laquelle était fixé un calepin jaune, dispositif qui attira aussitôt l'attention de Raymond. Une planchette comme ça, voilà ce qu'il lui fallait pour prendre des notes commodément quand il ne disposait pas d'un appui.

– Eh bien, continuez comme ça, dit le joueur avec un geste d'envie vers les plaques de Charlie. Vous pourrez porter un costume en billets verts pour la Saint-Patrick. Mais dites-moi votre secret. Comment faites-vous pour gagner comme ça?

– Nous trichons, répliqua Charlie avec légèreté.

Le chef croupier comptait maintenant les jetons et plaques de la banque, notant le nombre de chaque couleur. Raymond ne le quittait pas des yeux, se livrant probablement à des notes complémentaires dans un imaginaire calepin. Le croupier lui sourit.

– Il compte seulement mes jetons, dit-il à Raymond.

L'expression de Raymond ne changea pas.

– Il y a cent quatre-vingt-un blancs, cent vingt-cinq verts, quatre-vingt-quatorze rouges, et soixante-treize noirs, dit-il sans reprendre son souffle.

Surpris, Calloway leva les yeux. Il termina son compte compara son résultat avec celui de Raymond. Son étonnement n'en fut que plus grand.

– Euh... merci, dit-il en regardant fixement Raymond, qui lui rendit son regard sans ciller.

Le croupier, stupéfait, haussa les sourcils.

– Quoi? Vous avez compté tout le temps?

Raymond s'alarma. C'était la question contre laquelle Charlie l'avait mis en garde. S'il répondait mal, Charlie ne le reverrait jamais. Jamais, jamais, jamais! Il ouvrit la bouche et la referma dans un claquement.

– Il parle des jetons, Ray, intervint Charlie avant que Raymond réponde Dieu sait quelle ânerie. Oui, dit-il au croupier, il aime ça, compter les jetons. Charlie se sentait quelque peu mal à l'aise. Raymond commençait à faire l'objet d'une curiosité qui n'augurait rien de bon.

Le chef croupier partit avec la caisse remplie d'argent, et le sabot faisait de nouveau le tour de la table. Raymond avait avancé deux jetons, signalant qu'il y avait des dix à profusion parmi les cartes à venir. Charlie suivit, pariant mille dollars, sa plus grosse mise jusqu'ici. Le tout pour le tout.

Bon vieux Raymond. Il avait tiré vingt. Quant à Charlie, il avait un onze. N'importe quelle figure de dix lui donnerait le black-jack. Les chances de gagner se présentant si bien, il doubla sa mise. Il y avait maintenant deux mille dollars sur sa case, et une carte à tirer... pour lui.

Raymond fit signe au croupier de lui donner une autre carte. Un murmure de stupeur parcourut la table. Il tirait en avant vingt en main? C'était déjà une belle bourde de demander une carte avec un dix-huit, comme cela s'était passé tout à l'heure, mais à vingt! Il avait toutes les chances de perdre, surtout avec un sabot qu'il avait lui-même estimé rempli de dix. Et puis, vingt lui assurait pratiquement la victoire. Le croupier montrait dix-huit.

– Ce n'est pas possible que tu veuilles une carte, Ray, lui dit fermement Charlie. Tu as vingt.

Mais Raymond continuait de hocher la tête. Il voulait une carte.

– Ce n'est pas une très bonne idée, Ray, dit le joueur aux cheveux gris assis à côté de lui.

– Ray, je viens de doubler à onze, ici, grogna Charlie entre ses dents serrées.

Mais Raymond ne lui prêta pas attention. Charlie se pencha vers son frère. Il était temps de lui faire peur.

– Ray, si tu me prends mon dix, je... je vais te remonter ton pantalon jusqu'aux oreilles!

– Je veux une carte, dit Raymond au croupier. Son visage était plus impénétrable que jamais.

Le croupier jeta un regard aux autres joueurs et haussa les épaules. Bon, si un joueur avait envie de perdre, c'était son affaire, après tout. Il orienta le sabot vers Raymond et lui sortit sa carte.

Un as. Oui, un as. Raymond avait vingt et un.

Au tour de Charlie. Une reine. Charlie avait vingt et un.

Charlie avait du mal à en croire ses yeux. Il déglutit péniblement. Il avait les mains moites. Quant à Raymond, il se contenta de dire :

– Vingt et un! Black-jack!

***

Il ne se passe rien dans une maison de jeux sans que ça se sache. Chaque casino a un « œil au plafond », une pièce munie d'un miroir sans tain d'où les surveillants peuvent suivre les parties et y déceler les éventuelles irrégularités ou repérer les tricheurs. Dès qu'il survient à une table une série de gains anormale, ils peuvent ainsi surveiller la partie et décider de la conduite à tenir.

Le Caesar's avait son « œil au plafond », et cet œil avait suivi la partie jouée par Raymond et Charlie avec beaucoup d'attention. Donahue, un surveillant épuipé d'une paire de jumelles, avait observé la progression de Charlie. Le chef croupier, qui s'appelait Rosielli, arriva derrière lui et regarda par-dessus son épaule.

– Toujours les mêmes? demanda-t-il.

– Ouais. Le plus jeune continue de gagner, répondit Donahue.

– Tu vois quelque chose?

Le surveillant haussa les épaules.

– Pas grand-chose, à vrai dire. Tout ce que je sais, c'est qu'il ne risque pas de marquer les cartes, parce qu'on n'a pas arrêté de changer les jeux.

– Alors ça veut dire qu'il compte, dit Rosielli, l'air pensif. Il faut augmenter le nombre de cartes dans le sabot.

– On l'a déjà fait. On en est à six jeux dans le sabot. Il n'existe personne au monde capable de compter un jeu de trois cent douze cartes. Personne.

– Dans ce cas, ce type est le plus grand veinard que j'aie jamais vu, dit Rosielli. Mais il ne pouvait croire à une telle chance. Il devait y avoir autre chose, quelque chose qui leur échappait.

Donahue pointait de nouveau ses jumelles sur la table.

– Ouais, une chance qui dure drôlement. Ça tourne comme une machine pour ce type-là.

Rosielli réfléchit pendant un instant. Son visage se durcit.

– Qu'on passe ce type sur vidéo, dit-il.

– Kelso l'a déjà demandé, dit Donahue.

Chapitre 11

Quand enfin ils quittèrent la table de black-jack, Charlie était épuisé, vidé de toute énergie. Raymond, lui, ne semblait pas du tout fatigué. Il aurait bien continuer la partie pendant quelques heures de plus. Compter les cartes l'avait passionné, et il avait même éprouvé de l'excitation à gagner. Par ailleurs il était conscient d'avoir fait plaisir à Charlie.

Il était encore tôt, à peine huit heures du soir. Cependant, Charlie savait qu'ils devaient s'arrêter là. Ils avaient gagné gros, très gros. Demain il ferait jour. Encore une journée à Las Vegas, et ils pourraient s'en aller comme deux conquérants portés sur les épaules de leurs guerriers. A un moment la table de black-jack lui était devenue inconfortable. Raymond et lui avaient fini par susciter la méfiance du croupier et des autres joueurs. Leur chance était par trop insolente. Leur voisin de table, l'élégant quinquagénaire aux cheveux grisonnants, était littéralement fasciné par Raymond.

Demain, à une autre table, avec un autre croupier, d'autres joueurs, ils pourraient répéter l'opération. Plus exactement, Raymond renouvellerait son exploit, car Charlie avait le sentiment de ne jouer dans le « film » qu'un rôle de figurant.

Enfin une dernière raison poussait Charlie à remettre au lendemain la partie; un nouveau briefing avec Raymond s'imposait. Il devait revoir avec lui certains détails qui avaient bien failli leur coûter cher, comme l'incident avec le marqueur ou le désir innocent de Raymond de lui donner sa propre carte. Demain soir Raymond serait parfait et, leur mission à Vegas accomplie, ils regagneraient dans l'euphorie Los Angeles.

Mais d'abord Charlie avait besoin d'un bain chaud et d'une bonne nuit de sommeil... et d'entendre de nouveau la voix de Susanna. Il sentait comme un vide en lui depuis son départ. Elle lui manquait beaucoup, bien qu'il eût encore du mal à se l'avouer. Son humour lui manquait, son corps lui manquait, mais ce qui lui faisait le plus défaut, c'était encore son caractère entier, son *équilibre*.

Voyager en compagnie d'un autiste n'était pas une sinécure. Au bout de quelques jours, on avait tendance à partager les hallucinations et les délires de son compagnon. Au train où allaient les choses, Charlie pouvait se demander s'il n'organiserait pas bientôt ses journées autour de Wapner. En outre, il était inquiet à la perspective de la procédure pour la tutelle du Raymond. Il avait besoin du soutien moral de Susanna, il avait besoin de la savoir à ses côtés quand il faudrait convaincre le psychiatre et le juge du bien-fondé de sa démarche. Enfin Charlie voulait prouver à Susanna, aussi bien qu'à l'autorité médicale, qu'il avait fait du bien à son frère. Il en faisait une question d'honneur, et peut-être un peu plus. Peut-être était-ce à lui-même qu'il voulait prouver quelque chose.

Après avoir casé Raymond à une table du bar, avec un grand verre de soda et un ravier de pommes chips, Charlie alla téléphoner à Susanna. Hélas, au lieu de la voix à l'accent piquant, il tomba sur son répondeur. Frustré, il raccrocha en soupirant.

Avant de regagner le bar, il alla à la réception et réserva pour Raymond et lui une suite en duplex. Ils l'avaient mérité, ce luxe, surtout Raymond. Toute victoire méritait sa récompense. Les perdants devaient s'accommoder d'un motel minable, mais les vainqueurs pouvaient dormir dans l'un des luxueux duplex du Caesar's Palace. Il rejoignit Raymond avec la clé de leur chambre et commanda un scotch avec de la glace. Un double.

Raymond regardait toutes choses avec des yeux brillant d'une intense curiosité. Tout était si nouveau, si merveilleux pour lui. Il était tellement excité qu'il ne cessait de gigoter sur son siège en tendant le cou comme un périscope sous-marin.

– Tu as envie d'aller aux toilettes? demanda Charlie, se méprenant sur l'agitation de son frère. Raymond le considéra de cet air muet que Charlie avait appris à interprêter comme un refus. Quand Raymond répondait clairement par la négative, cela signifiait généralement oui. Silencieux, on pouvait traduire par non.

– Eh bien, moi, oui, dit Charlie d'un air las. Tu viens?

Mais Raymond regardait maintenant par-dessus l'épaule de Charlie, visiblement fasciné par ce qu'il voyait. Se tournant, Charlie suivit son regard. Une beauté dans l'éclat de ses vingt ans était assise au bar sur un haut tabouret. Joli minois, beaux cheveux, corps superbe. Manifestement une professionnelle. Les entraîneuses à Las Vegas comptaient parmi les plus jolies filles du monde, du moins celles qui travaillaient dans les palaces. La fille se tenait de profil, et elle n'avait pas remarqué l'attention que lui portait Raymond.

Charlie, attendri et amusé, observa la scène pendant un moment.

– Bon, je reviens dans une minute, dit-il avec un sourire. Tu ne bouges pas, c'est promis?

Raymond hocha la tête sans quitter la jeune femme des yeux. Charlie se leva et ébouriffa les cheveux de son frère, retirant sa main avant que Raymond ne s'émeuve de ce contact.

– A tout de suite.

Comme Charlie disparaissait en direction des toilettes pour hommes, la fille se tourna et rencontra le regard de Raymond. Aussitôt un éclatant sourire illumina son beau visage. Il n'y avait pas encore de cynisme dans ce sourire car elle était trop jeune, trop séduisante et trop demandée pour que la vie eût déjà pour elle un goût amer.

L'imitant, Raymond lui fit son sourire « Charlie Babbitt », alias le Redoutable. A cette distance, et avec ce sourire éblouissant, il avait l'air d'un homme cossu en quête d'une aventure galante. Elle descendit de son tabouret et, emportant son verre avec elle, vint s'asseoir à la table de Raymond.

- 'soir, susurra-t-elle en plongeant ses yeux dans les siens.

Raymond hésita tandis qu'il cherchait dans sa mémoire la réponse appropriée. Il se rappela la conversation que

Charlie avait eue avec la jeune serveuse dans ce restaurant à Cincinnati, celle qui lui avait donné une pleine boîte de cure-dents.

– Belle journée, n'est-ce pas, dit-il en imitant parfaitement le ton léger de Charlie. Qu'est-ce qu'il y a de bon au menu?

– Euh... à part moi... fut la réponse prévisible, mais une lueur de perplexité dansa dans les yeux de la jeune femme. Ce type paraissait plutôt normal. Il était propre, bien habillé, voire élégant, mais quelque chose... clochait. Son sourire, par exemple. Oh, c'était un beau sourire, éblouissant même, mais il... ne changeait pas. Il restait plaqué comme un masque sur son visage. Quant à ce qu'il disait...

– Hum! On se demandait ce qu'il y avait de passionnant dans le coin... le soir?

– Eh bien, chéri, je ne vois que moi... répondit-elle, coquette, en se rapprochant de Raymond.

Mais à présent, comme la pile usée d'un jouet, Raymond était retombé dans le silence. Il n'avait plus rien à dire car la conversation de Charlie avec la serveuse s'était arrêtée là, après qu'il eut effrayé celle-ci en lui révélant abruptement son numéro de téléphone. Créer la communication n'était pas du ressort de Raymond. Pourtant il y avait chez cette jeune femme un je-ne-sais-quoi qui l'attirait. Il n'aurait su préciser la nature ni la raison de cette attirance, mais il pouvait l'assimiler à cet état de non-peur, synonyme pour lui de bien-être. En vérité, bien que la comparaison ne lui en vînt pas à l'esprit, la familiarité éprouvée par Raymond à l'égard de l'entraîneuse était due à la ressemblance de celle-ci avec Vanna White, l'animatrice du jeu télévisé « La Roue de la fortune ». Quand Raymond regardait l'émission, il avait toujours un bon goût à la bouche, meilleur que celui d'un cracker encore, et il se sentait également en sécurité. D'ailleurs cette fille était habillée comme Vanna, avec un décolleté d'où éclosait le galbe parfait des épaules.

Elle était assise tout près de lui et le couvait d'un regard enjôleur, attendant qu'il lui fasse la conversation. Mais le sourire de Raymond avait cédé la place à son habituelle expression vacante, à son regard vaguement halluciné. Toutefois il fit l'effort de dire :

– Je suis Raymond. Vous êtes... étincelante.

La fille le regarda cette fois avec une vive attention. C'était quoi, un débile? Un retardé? Rien dans l'expérience qu'elle avait de la vie ne pouvait l'aider à comprendre et appréhender quelqu'un comme Raymond. Mais elle était assez intelligente et sensible pour saisir qu'il y avait là, en face d'elle, un être différent, paumé, un type qui n'avait pas les deux pieds sur terre. Et son cœur, qui était encore celui d'une jeune fille, se pinça, comme il l'eût fait pour un chien ou un chat perdu. Enfin, le personnage l'intéressait; elle n'avait jamais rencontré personne comme lui, et elle était curieuse d'en savoir plus. Mais elle était également une entraîneuse, et il ne fallait pas oublier le travail.

– Merci, Raymond, dit-elle d'une voix suave. Moi, je m'appelle Iris. Comme il hochait timidement la tête, elle poursuivit :

– Je vous plais, Raymond?

Cette fois, le hochement de tête fut beaucoup moins timoré.

– Pour... pourquoi disiez-vous ces choses tout à l'heure? demanda-t-elle, curieuse. Quoi de passionnant dans le coin le soir, tout ça?

– C'est seulement ce qu'on dit, répondit gravement Raymond. A une jolie fille. Comme Sally Dibbs. Je connais son numéro de téléphone. Quarante-six, onze, quatre-vingt-douze.

Iris toucha la main de Raymond. Aussitôt il se raidit, pas aussi brusquement qu'il le faisait d'ordinaire, mais assez toutefois pour que la jeune femme retire sa main. Elle ne se vexa ni ne s'irrita. Au contraire, sa curiosité augmenta. Il lui venait un tas de questions. Cet homme était-il aussi inoffensif qu'il le paraissait? Était-il simplement retardé? Pourquoi, dans ce cas, se trouvait-il au bar du Caesar's Palace, vêtu d'un costume coûteux? Qu'avait-elle à gagner avec lui? De l'argent? Pouvait-il être un client?

– Il n'a pas d'argent, dit une voix mâle derrière elle, comme si l'on avait lu dans ses pensées. Iris se retourna. Un homme jeune, beau, très beau, la regardait d'un oeil hostile, une moue méprisante aux lèvres.

– Ne vous tracassez, mon beau monsieur, répliqua Iris avec un sourire professionnel. Nous bavardons seulement.

Charlie se pencha au-dessus de la table.
– Il est temps d'aller dormir, Ray. Dis bonsoir à la dame.
Raymond secoua la tête d'un air têtu. Il n'avait aucune envie de partir. Et puis il était bien trop tôt pour aller se coucher.
– Allez, Ray, viens! ordonna Charlie.
– Tu vas dormir. Nous bavardons seulement, dit Raymond avec une lueur de défi dans le regard que Charlie ne lui connaissait pas.
– Quel numéro, votre chambre? intervint Iris. Je vous le ramène dans quelques minutes.
Charlie, pris de court, s'accorda quelques secondes de réflexion. Il n'avait aucune confiance envers cette pute de luxe. Qui sait quelles informations elle pouvait tirer de Raymond? D'un autre côté, un faux mouvement de sa part, et son frère allait lui piquer une crise. L'air têtu, obstiné qu'arborait en ce moment même Raymond conduisait généralement, ainsi que Charlie en avait déjà fait les frais, à des ennuis majeurs. Il fallait bien admettre que cette jeune entraîneuse exerçait sur Raymond l'un de ces attraits aussi inexplicables que tenaces dans la lignée des crackers et des émissions de télé.
Enfin, ce psychiatre de Tulsa, le Dr Schilling, n'avait-il pas affirmé que Raymond était incapable d'avoir une relation sexuelle? Un miracle était-il possible? Charlie pouvait-il rêver d'un meilleur argument à sa demande de tutelle que d'être celui par qui Raymond Babbitt aurait connu sa première femme? Même si l'acte lui-même n'était pas consommé, Charlie ne pourrait-il pas prouver que, grâce à lui, son frère avait appris à établir un lien sentimental avec une autre personne? Et puis, au-delà de ces considérations entachées d'utilitarisme, Raymond ne méritait-il pas quartier libre après sa performance à la table de black-jack?
– C'est d'accord, dit-il à Iris. Je vais attendre au bar.
Sur ces paroles lancées d'un ton sévère, il s'en fut vers le comptoir, d'où il pouvait surveiller la table. Il se sentait vaguement jaloux, bien que jamais il ne se serait avoué pareille chose.
Iris se tourna vers Raymond.
– Je ne pense pas qu'il m'aime beaucoup, dit-elle sans avoir à faire un grand effort intellectuel.

– C'est mon frère. Je vis avec lui.
– Il a l'air jeune pour être votre frère. Quel âge avez-vous, Raymond?
C'était une question à laquelle Raymond n'avait pas de réponse, et son visage s'affaissa, comme à chaque fois qu'il se sentait coincé.
– Qu'avez-vous? demanda Iris, décontenancée.
– Quel âge j'ai, Iris?
La fille lui sourit et elle tendit la main vers lui pour lisser les cheveux que Charlie avait ébouriffés. A ce contact, le corps de Raymond se tendit. Mais il y avait dans cette main une douceur qui lui rappela sa mère, et il se détendit de nouveau.
– Je dirais quarante, murmura Iris, qui ne se trompait que de deux ans. Et je vous trouve très séduisant, vous savez. Mais je travaille, Raymond, et je dois partir. J'ai été très heureuse de faire votre connaissance. Elle se leva, mais cette prière muette qu'il lui sembla lire dans les yeux de Raymond la toucha et elle se rassit.
De toute évidence Raymond n'était pas normal. Il n'avait aucune expérience des femmes, pas d'argent, et Iris n'était pas en vacances au Caesar's. Une fille comme elle n'avait guère de temps à perdre. Combien d'années pourrait-elle tenir dans les hôtels de luxe? Six, sept au plus. Le temps que durerait sa beauté. Elle savait que tôt ou tard, à moins d'un riche mariage comme dans les contes de fées, elle redescendrait l'échelle et besognerait dans des bars et des hôtels de deuxième ordre. Il lui fallait profiter de sa jeunesse, de ses chairs fermes, de l'insolence de son corps avant que le temps passe, et avec lui sa beauté.
Pourtant elle était émue par ce petit homme à l'air égaré, qui vivait avec son jeune frère dont elle sentait le regard farouche posé sur elle. Iris hésita le temps de quelques battements de cœur puis prit sa décision :
– Voulez-vous que nous nous donnions rendez-vous?
Raymond acquiesça avec gravité.
– C'est quoi, un rendez-vous?
– C'est... nous nous verrons, nous parlerons. Peut-être que nous danserons. Juste pendant un moment. Vous aimeriez?
L'expression de Raymond lui répondit que oui.

– D'accord, on pourrait se retrouver ici, à dix heures. Avant que je commence mon travail. Iris se leva, sourit à Raymond. Dites-le à votre frère. Dix heures, ici.

Elle s'en alla en faisant un signe de la main à Raymond, qui lui rendit son salut de la même façon. Quand Charlie revint à la table, il remarqua sur le visage de Raymond cette expression qu'il lui avait vu quand il lui avait offert le téléviseur miniaturisé. La version du bonheur selon Raymond Babbitt.

***

Selon ses goûts, le duplex réservé par Charlie pouvait paraître d'un luxe achevé ou bien passer pour un monument de vulgarité. Rien n'était trop beau pour les riches clients du Caesar's. La moquette épaisse comme un gazon, les lustres lourds, les divans profonds, les lits larges comme des radeaux recouverts de brocart, tout avait été conçu pour en mettre plein la vue.

Et, manifestement, Raymond en avait plein la vue. Il regardait autour de lui, mémorisant toutes choses. Ce lieu avait tout le confort moderne. Il se rappelait cette phrase, entendue à la télévision. Maintenant il savait ce qu'elle signifiait.

– Tu aimes cette chambre? demanda Charlie avec un froncement de sourcils. Pas moi. Elle me donnerait plutôt envie de gerber.

Gerber? Raymond le regarda sans comprendre. Charlie balança la clé sur un divan et alla au bar richement décoré se servir un verre. Charlie Babbitt n'avait pas le moral. Il venait pourtant de gagner un beau paquet de fric. Il aurait dû sauter de joie. Mais non, il était déprimé.

– C'est bon de gagner, dit-il d'un ton amer, quand c'est soi-même qui gagne. Moi, je ne fais que te regarder.

Regarder? Raymond s'efforça de comprendre.

– Comme... à la blanchisserie, Charlie Babbitt?

Charlie secoua la tête.

– Non, regarder tourner la lessive ne me déprime pas comme ça. Il leva les yeux vers son frère, qui avait grimpé l'escalier menant à la mezzanine où se trouvait son lit – celui de Charlie était au rez-de-chaussée – dans l'intention d'allumer le poste de télé.

– Je suppose que de t'avoir vu me sauver la mise m'a secoué, dit-il. Il rejoignit Raymond à l'étage. Il avait soudain un besoin pressant que son frère comprenne.

Raymond était assis au bord du vaste lit, jouant avec la télécommande. Charlie se laissa choir de l'autre côté du lit.

– Nous avons gagné beaucoup d'argent ce soir, Ray. Assez pour payer le plus gros de mes dettes et me remettre sur les rails.

Sur ces paroles, Charlie se mit à chuchoter, chuchoter comme le faisait Raymond quand il avait peur. Raymond, ne pouvant entendre ce que disait son frère, s'en fut à quatre pattes sur le lit pour approcher son oreille des lèvres de Charlie.

– Et c'est justement ça le pire, me remettre sur les rails. Pour aller où? marmonnait Charlie.

Raymond n'avait jamais vu Charlie déprimé. En colère, rieur, moqueur, emporté, actif, toujours à conduire la Buick et faire plein de choses pour lui, mais jamais déprimé. Il ne savait pas ce qu'était le découragement. Il n'avait même pas de mot pour ça. Raymond n'était jamais abattu. Il avait peur ou il n'avait pas peur, et c'était tout. Il regarda son frère sans rien dire. Une inquiétude, cependant, sourdait en lui. Charlie Babbitt avait pris la place de Vernon, et Raymond dépendait de lui pour tous ses besoins matériels. Et Raymond n'aimait pas le Charlie démoralisé; ça lui faisait peur. Il aimait le Charlie souriant; là, il ne craignait rien. Et Charlie ne souriait plus.

– Je parle tout seul, grogna Charlie en se redressant sur le lit. Il n'avait personne à qui se confier, hormis Raymond, et il ne savait jamais très bien si son frère le comprenait ou pas. Mais, voyant l'expression inquiète du visage de Raymond, il lui fit un sourire.

– Je voulais dire que j'allais retrouver la vie que j'ai toujours menée, Ray, et que ça ne me plaisait pas. Je n'en veux plus de cette vie-là et je me demande... Le sourire disparut... comment j'ai pu mener une existence aussi nulle...

La fatigue et l'abattement se conjuguèrent soudain, et Charlie bâilla à s'en décrocher la mâchoire. Il était encore tôt, mais il était temps pour lui de se mettre au lit. Il avait eu une journée bien chargée, et le lendemain ne serait pas facile non plus. Il fut tenté de s'endormir là, sur le lit, tout habillé, sans même prendre le soin d'enlever ses chaussures. Mais cela n'avait pas de sens. Il se réveillerait quelques heures plus tard, plus mal que jamais, les vêtements frippés, et probablement avec la migraine pour couronner le tout. Non, mieux valait faire les choses correctement.

Il se hissa hors du lit et alla dans la salle de bains pour se brosser les dents. En chemin il se déshabilla, veston, chemise, cravate, laissant derrière lui une traînée de vêtements.

Merde! S'il voulait garder belle apparence une journée de plus, il ferait mieux de ranger proprement ses affaires. Il revint sur ses pas avec un soupir et ramassa ses effets pour les suspendre avec soin sur le valet de nuit que ne manquerait pas d'emporter au pressing le garçon de chambre.

Raymond suivit Charlie dans la salle de bains. Il essayait encore de comprendre ce que son frère lui avait dit. Il avait su traduire l'expression de Charlie, le ton de sa voix, mais le sens des mots lui échappait.

Charlie prit le dentifrice et la brosse à dents fournis par l'hôtel et se regarda dans le miroir avec l'impression de se voir pour la première fois.

Depuis dix ans Charlie Babbitt se débrouillait seul. Il lui avait fallu se montrer féroce pour s'en tirer sans trop de mal. Mais on ne se faisait jamais soi-même sans laisser de plumes. Charlie n'avait pas seulement perdu un foyer en quittant son père mais également sa jeunesse. Il s'était trouvé forcé de devenir un homme avant l'âge. A présent, à vingt-six ans, il se sentait vieux. Pire, il se sentait seul. Terriblement seul. Avec le sentiment d'être enfermé dans une prison qu'il avait lui-même érigée. Pour tirer son épingle du jeu, il avait dû jouer des coudes, marcher sur les pieds de plus d'un, toujours prompt à appliquer la philosophie du pousse-toi-de-là-que-je-m'y-mette, et il avait fini par devenir paranoïque. Jamais personne, hormis Susanna, n'avait cherché à se rapprocher de lui. Et il avait peut-être perdu la seule femme à laquelle il tenait.

A certains égards Charlie était comme Raymond. Ce dernier avait dû se battre pour survivre. Il avait dû élaborer un système complexe de défenses, capable de le protéger des agressions extérieures. Tout au fond de lui Charlie, comme Raymond, avait peur d'être touché. Charlie et Raymond avaient chacun créé un monde qu'ils étaient seuls à habiter. Ils étaient l'un comme l'autre au centre de leur existence, uniquement intéressés par ce qui pouvait ou non affecter leur confort et leur sécurité.

La différence était que Raymond était né comme ça, alors que Charlie l'était devenu. Raymond ne pouvait nouer de relation humaine parce qu'il était né handicapé. Charlie avait la même difficulté parce que le besoin de survivre l'y avait contraint et qu'il avait toujours considéré les sentiments comme une entrave à ses desseins. Pour la première fois de sa vie, Charlie prenait conscience de ce qu'il avait fait de lui-même tout au long de ces années, comment il s'était coupé, isolé du monde de l'émotion et des rapports humains. Il faisait encore un autre constat, plus douloureux : Raymond n'avait jamais approché personne parce qu'il ne le pouvait pas; lui, Charlie avait fait de même, parce qu'il l'avait voulu ainsi.

Charlie Babbitt était malin comme un singe. Il savait manipuler avec adresse quiconque pouvait le servir. Raymond Babbitt était incapable d'utiliser une fourchette pour manger, mais, dans son cœur, là où ça comptait, il était bien meilleur que Charlie, parce que jamais il n'avait fait de tort à personne.

Et voilà que Charlie mesurait maintenant tout le cynisme, la vanité et la bassesse de son plan. Enlever son propre frère, autiste, sans défense, pour en exiger une rançon, en ayant la prétention de modifier son comportement, superficiellement ou pas, temporairement ou non, dans le seul but de mettre la main sur de l'argent. Quel beau et noble projet! Et suprême ironie, ça marchait!

Sur le ring de son examen de conscience, Charlie Babbitt encaissait durement. Il frissonnait à la pensée de ce qu'il avait fait subir à son frère, l'arrachant à un environnement protecteur dans lequel il avait vécu pendant plus de vingt ans, ne se souciant à aucun moment de ses droits ou de son bien-être! Oui, Charlie avait la nausée, rien qu'à se regarder dans ce miroir. Il avait envie de dire à Raymond combien il regrettait, combien il s'en voulait de ce qu'il avait fait, mais il savait que Raymond ne comprendrait pas. Charlie se disait maintenant qu'il devait beaucoup à Raymond, et certainement plus que ce qu'ils avaient raflé à la table de black-jack.

Les yeux marron de Raymond rencontrèrent les yeux noisette de Charlie dans le miroir au-dessus du lavabo. Ils exprimaient la même question : pourquoi tu ne souris plus, Charlie?

Et Charlie lui sourit. Un grand, rassurant sourire.

– Allez, parle-moi de ton entraîneuse? Jolie, hein?

– Entraîneuse?

– La fille, au bar.

– Iris, dit Raymond. Nous avons rendez-vous. Plus tard. Cette nuit. Dix heures. Ici. Dites-le à votre frère.

Un rendez-vous? Le sourire de Charlie encadra la brosse à dents dans sa bouche.

– Elle m'a dit que peut-être on... danserait, dit Raymond, l'air apeuré.

Charlie ôta la brosse à dents de sa bouche.

– Hé, c'est facile de danser, dit-il. Je te montrerai tout à l'heure. Quand je me serai reposé un peu.

Mais Raymond n'était pas rassuré.

– Maintenant, insista-t-il. Maintenant, c'est quand je ne sais pas comment... danser.

La formulation de la proposition était curieuse, mais pas dénuée de logique.

Le nouveau Charlie, celui empli de bonnes résolutions, comprit l'importance de la situation pour Raymond, et il hocha la tête. Il se rinça la bouche, rangea la brosse à dents et fit signe à Raymond de le suivre. Ils regagnèrent la chambre. Charlie alluma la radio, tripota les fréquences et trouva une musique douce, romantique et dansante.

– Bon. Maintenant, approche-toi. Écarte tes bras. Non, ne recule pas. Tu veux apprendre à danser, non? Eh bien, la danse, c'est ça. Tu dois tenir ta partenaire. Non, ne regarde pas tes pieds. Laisse-toi guider. Essaie de suivre la musique.

Et ils tournèrent, lentement, gauchement, Charlie conduisant, Raymond dans le rôle de la cavalière. En dépit de l'incertitude de ses mouvements, il ne s'en tirait pas trop mal. Il restait raide comme un piquet, les bras tendus comme un automate, mais ses pieds suivaient bien le rythme.

– Pas mal, pas mal, l'encouragea Charlie. Encore quelques pas, et ce sera à toi de me guider.

Ils continuèrent ainsi pendant quelques minutes, puis Charlie lui proposa de changer. A Raymond de conduire! Raymond commença d'un pas hésitant, mais peu à peu s'enhardit et mena bientôt sans mal. Les lèvres serrées, le visage grave, il veillait au prix d'un gros effort à ne pas regarder ses pieds.

– Mais tu y arrives, mon salopard! s'écria Charlie, stupéfait. Tu y arrives! Raymond ne répondit pas, mais il entraîna Charlie dans une volte en imitant parfaitement le mouvement que lui avait montré son frère. Il enchaîna d'une deuxième volte, d'une troisième! Charlie n'en revenait pas.

– Super, Ray! s'exclama-t-il. Tu vas pouvoir danser avec une nana! Charlie était fier de Raymond, fier de lui-même également.

– Je vais pouvoir... danser avec une nana! répéta Raymond.

Charlie se sentit soudain transporté d'affection pour son frère, et il oublia pendant un instant qui il était et qui était Raymond. Il ne voyait plus en face de lui qu'un frère. Son grand frère Rain Man. Saisissant Raymond par les épaules, il le pressa contre lui.

Terrifié, Raymond se raidit de tout son corps. Personne ne l'avait jamais serré comme ça, à l'étouffer. Il n'arrivait plus à respirer, et toutes ses alarmes se déclenchèrent.

Aussi rapidement qu'il l'avait oubliée, Charlie se souvint de la phobie de Raymond. Il le lâcha, recula. Mais la panique avait fait son œuvre : Raymond, le souffle court, roulait des yeux terrifiés.

– Allez, mon pote! s'écria Charlie en dansant autour de lui dans l'espoir de le rassurer. Les frères font toujours ça entre eux. Il n'y a pas de mal à ça. Tu es mon frère ou pas?

Mais il était trop tard. Raymond avait déjà fui le monde du réel où les gens se jetaient sur vous pour vous étouffer. Il se tordait les mains, le corps agité de son tremblement d'oiseau transi de froid.

Et ce spectacle eut un effet inattendu chez Charlie. Une colère violente, incompréhensible, le prit. Il était trop fatigué pour avoir les idées claires. Et il était blessé dans son affection, bien qu'il refusât de se l'avouer. Il ne comprenait plus que ce qu'il désirait, c'était de toucher Raymond, de le forcer à reconnaître le lien fraternel entre eux. N'était-ce pas lui, Rain Man, qui l'apaisait de ses chansons quand il était petit? Charlie refusait d'admettre que Raymond eût oublié ce temps. Non, cet ancien lien affectif devait être là, tapi quelque part dans la mémoire de Raymond, à attendre que Charlie le fasse renaître, resurgir, par la force, si c'était nécessaire.

– Tu es mon frère, oui ou non? cria-t-il.

Raymond ne pouvait comprendre pourquoi Charlie était subitement en colère, mais il comprenait la question. Frères. Oui, il était le frère de Charlie Babbitt. Il acquiesça craintivement, les yeux fixés sur Charlie. Il connaissait le mot; c'était le type de relation qu'il impliquait qui lui échappait.

– Alors serre-moi dans tes bras!

Charlie alla vers Raymond et, de nouveau, le prit à bras-le-corps pour cette accolade fraternelle dont il avait cruellement besoin. Terrifié, Raymond tenta de le repousser et, pendant une minute, ils luttèrent sans un mot, tanguant à travers la pièce dans une malheureuse étreinte.

Mais Charlie ne voulait pas lâcher. Il avait cette idée absurde que s'il tenait assez longtemps, s'il serrait assez fort, il pourrait arracher une réponse à Raymond. Son affection et son impérieux désir de communiquer avec son frère, avec Rain Man, finiraient bien par trouver un écho dans les profondeurs de Raymond et en ramèneraient l'être égaré, l'être normal, l'être vrai qui sommeillait en lui.

Rassemblant une énergie qu'il ne soupçonnait pas, Raymond, éperonné par la terreur, repoussa Charlie et se dégagea de son étreinte. Chuchotements, mains qui se contorsionnaient, membres rigides, regard fixe, tous les symptômes de la panique autistique étaient à leur paroxysme.

Mais Charlie ne s'avouait pas vaincu. Il ne laisserait pas Rain Man lui échapper. Les médecins se trompaient. Que savaient-ils de son frère? Raymond était tout ce qui restait de sa famille, et il n'allait pas le laisser vivre et mourir dans un retrait d'autiste. Lui, Charlie Babbitt, le ramènerait à la réalité, le sauverait, réussirait là où tous ces psy de malheur avaient échoué.

– Merde, Ray, haleta-t-il en dansant autour de Raymond. Tu me fais mal au cœur, vraiment.

Raymond, chuchotant et tremblant, se retrouvait acculé dans un coin de la pièce. Charlie continuait de danser devant lui comme un boxeur devant son adversaire, cherchant le défaut dans la garde. Il s'accrochait, obstiné, à l'idée qu'un choc, une grande peur provoquerait chez Raymond la réaction salvatrice.

– Je vais me faire, moi aussi, une liste des Blessures Graves, dit-il. Et tu auras le numéro 1, mon pote. Le 1, en 1988.

Il se jeta de nouveau sur Raymond, et le pressa de toutes ses forces contre lui.

– Allez, Ray, serre-moi! l'encouragea-t-il. Serre-moi, toi aussi. Juste une fois. Une fois! Juste pour voir comme c'est bon! Les larmes lui piquaient les yeux. Jamais il n'avait désiré aussi fortement quelque chose que cette étreinte qu'il attendait de Raymond. Jamais il n'avait ressenti d'émotion aussi violente depuis ce jour où, vingt-quatre ans plus tôt, Rain Man était parti pour toujours. Il avait alors pleuré, comme il pleurait maintenant. Rain Man. Il voulait que Rain Man revienne.

Terrorisé, frustré par sa propre impuissance, Raymond parvint à dégager sa main et la porta à sa bouche pour la mordre, violemment, cruellement. C'était la manifestation la plus extrême de son comportement autistique, l'acte inconscient d'une autodestruction.

Et ce geste brisa net le fol espoir de Charlie. Il comprit dans un éclair que Rain Man n'avait jamais existé que dans son imaginaire d'enfant. Raymond n'était pas, ne serait jamais une personne dite « normale ». Raymond Babbitt était un autiste, et le resterait. Il était peut-être capable d'apprécier certains plaisirs, et il possédait certainement de stupéfiantes capacités. Il pourrait même, avec beaucoup d'amour et de patience, accomplir des progrès. Mais il demeurerait à jamais différent.

Charlie eut l'impression d'être précipité dans un bain glacé. Il lâcha aussitôt Raymond et recula vivement, en levant les mains dans un geste universel de reddition.

– Bon, d'accord, d'accord, c'est fini, Ray. C'est fini. Je t'en supplie, arrête! Je t'en supplie!

Mais Raymond était ailleurs, à défendre sa vie de la

seule manière qu'il connaissait. Peut-être ne sentait-il pas la douleur, ou, s'il la sentait, l'associait-il à la mystérieuse magie protectrice qu'il pratiquait pour sa survie. Lui saisissant le bras, Charlie parvint à lui écarter la main de la bouche.

Ses dents avaient laissé de profondes marques d'où le sang sourdait lentement.

– Oublie ce que j'ai fait, oublie, lui dit Charlie d'une voix pressante. Je ne le referai jamais. Je te le promets.

Raymond émergea peu à peu de sa terreur. Sa respiration se fit plus régulière, mais son corps demeurait rigide et la peur hantait toujours ses yeux.

– Je suis un imbécile, dit Charlie avec une infinie tristesse. Entre frères, on s'embrasse. Nous ne sommes pas frères.

***

Comme un orage en août, quand gronde le tonnerre et que le ciel ouvre ses vannes pour les refermer aussitôt, la commotion fut brutale mais apparemment vite oubliée, du moins pour Raymond.

Alors que Charlie se préparait pour accompagner Raymond à son rendez-vous, ce dernier attendait paisiblement devant la télé qu'arrive l'heure où il danserait avec Iris.

Charlie sortait de la salle de bains en nouant sa cravate quand on frappa à la porte. Il n'eut pas le temps de répondre que celle-ci s'ouvrait. Susanna, les joues rouges, les cheveux en désordre, apparut sur le seuil. Elle avait l'air d'avoir pris en marche le premier avion de nuit pour Las Vegas. Ce qui était le cas. Charlie, bouche bée, la regarda comme une apparition, puis il accourut vers elle et la serra dans ses bras en riant.

– Tu es superbe, lui dit-il, le visage enfoui dans ses boucles brunes. Ray, Susanna est ici!

Raymond se retourna et la regarda gravement. Susanna lui fit un signe de la main qu'il lui rendit en écho.

– Mais comment as-tu appris que je me trouvais ici? demanda Charlie, son expression joyeuse panachée d'étonnement.

– Par Lenny. Elle regarda Charlie. Je suis désolée pour ton affaire.

Charlie haussa les épaules.
– Oh, ne t'inquiète pas. La chance est en train de tourner en notre faveur. Ray, dis-lui ce que nous avons fait.
– Nous avons joué aux cartes. Au black-jack. J'ai compté les cartes.
– Quoi? hoqueta Susanna.
– C'est une longue histoire, s'empressa d'intervenir Charlie. Nous en reparlerons quand nous aurons pris un peu de repos. Il la prit par le bras et l'entraîna, vers sa chambre.
– Comment ça va, Ray? demanda-t-elle par-dessus son épaule.
– Je ne sais pas.

***

Le plaisir qu'ils trouvèrent dans leur étreinte les surprit tous deux. Était-ce parce que la fatigue induisait Charlie à la tendresse ou bien parce qu'ils avaient été séparés pendant quelques jours ou encore parce que Charlie avait peut-être changé? Qui pouvait le savoir? L'amour les échoua doucement sur les draps froissés, une même expression extatique à leurs visages.
– Tu es vraiment heureux de me voir? demanda Susanna dans un murmure.
Charlie se pencha sur elle et posa sa main sur un sein rond et parfait.
– Bien sûr, qu'est-ce que tu crois? Je n'ai pas l'air heureux, peut-être?
– Je te demande ça, parce que tu ne me dis jamais si je t'ai manqué. Oh, je ne pense pas à ça, dit-elle avec un regard vers son ventre, mais à moi, Susanna.
– Tu sais bien que... commença de dire Charlie, mais Susanna lui posa un doigt sur les lèvres.
– Alors pourquoi ne me le dis-tu pas? demanda-t-elle. Que je t'ai manqué, que tu es heureux de me voir? Tu connais ces mots? La langue anglaise en est pleine. Ce serait bon de...
Un coup frappé à la porte l'interrompit, et Charlie sauta du lit.
– Sauvé par le gong, hein? lui lança Susanna.
– Entre, cria Charlie en s'enveloppant dans une ser-

viette. Il ouvrit la porte. Raymond se tenait sur le seuil, son petit téléviseur à la main.

– J'ai rendez-vous dans six minutes, dit-il.

– Un rendez-vous? demanda Susanna avec étonnement.

Charlie se hâtait déjà d'enfiler son pantalon.

– Oui, si on veut, répondit-il. Vite, Susanna, rhabille-toi. Il faut qu'on soit au bar dans six minutes.

– Cinq, corrigea Raymond, l'œil sur la montre digitale du minuscule récepteur.

***

Ils avaient une minute d'avance en arrivant au bar. Raymond avait gardé son téléviseur dont il ne quittait pas le minuscule écran vert des yeux. Dans la pochette de son veston il y avait le « quelque chose » que Charlie Babbitt lui avait donné pour Iris.

– Tu sais, Ray, tu aurais pu laisser ce truc dans ta chambre, dit Charlie en désignant l'appareil. Tu n'en auras pas besoin pour danser.

– C'est de la danse, dit Raymond en montrant l'écran sur lequel Fred Astaire et Ginger Rogers évoluaient. La robe de Ginger virevoltait autour d'elle comme une corolle, tandis que les pas de Fred traçaient des figures étincelantes comme de la poussière d'étoile.

– Comment est-elle? chuchota Susanna à Charlie.

Raymond l'entendit.

– Elle ressemble à de la nourriture de cafétéria, dit-il. Elle a les lèvres rouges comme du ketchup.

Charlie renversa la tête en arrière et partit à rire.

– Ha-ha! J'ai jamais rien entendu de si drôle! s'exclama-t-il.

– Ah oui? ironisa Susanna.

Alors qu'ils attendaient au bar la venue d'Iris, un employé du casino s'approcha discrètement de Charlie.

– Monsieur Babbitt?

– Oui, c'est moi.

– Mr Kelso aimerait vous dire un mot.

Hum! Charlie éprouva une soudaine inquiétude. Cela n'augurait rien de bon. Il avait gagné trop d'argent, et la maison n'était pas contente. De toute façon il n'avait pas à s'affoler. Ils n'allaient certainement pas le féliciter et lui serrer la main mais ils n'allaient pas non plus le descendre. Jouons fin, se dit-il. Ils n'ont aucune preuve, pas la moindre irrégularité à me reprocher. Mais il eut beau se le répéter, il n'en resta pas moins mal à l'aise.

– Susanna, tu veux bien rester avec Raymond pendant un moment?

Raymond ne releva pas la tête quand Charlie partit. Il jeta un coup d'œil à l'heure.

– Elle n'est pas là, dit-il. Il est dix heures une. Elle n'est pas là. Susanna le regarda d'un air vaguement inquiet, mais Raymond ne semblait ni déçu ni troublé. Le film avec Fred et Ginger continuait de retenir toute son attention.

Charlie suivait l'employé dans le dédale du casino. Ils franchirent une porte marquée : PRIVÉ ENTRÉE INTERDITE, qui donnait sur un long couloir flanqué de portes ouvrant sur des bureaux. Ils s'arrêtèrent bientôt devant l'une d'elles dont la plaque annonçait : « Mr Eugene Kelso – Directeur de la Sécurité ». L'homme poussa la porte et invita Charlie à entrer.

Ils pénètrèrent dans une réception joliment meublée. Il y avait quelques peintures abstraites accrochées aux murs et, derrière un magnifique bureau laqué noir, une secrétaire assez belle pour être mannequin. Sur un signe de sa jolie tête, le guide de Charlie le conduisit jusqu'à une porte en chêne massif, frappa une fois, ouvrit le lourd battant et, introduisant Charlie, se retira en refermant sans bruit la porte derrière lui.

Le bureau du directeur de la sécurité était vaste et luxueusement agencé. Il puait le fric, pensa Charlie, impressionné malgré lui. Derrière une large table ancienne était assis un homme distingué aux tempes grisonnantes. Charlie s'efforça de tempérer sa surprise en reconnaissant en lui le voisin de Raymond à la table de jeu, celui qui avait posé à son frère toutes ces questions avec un gentil sourire. Il ne souriait plus à présent.

Charlie dut faire un gros effort pour ne pas se laisser choir sur le siège le plus proche. Pendant une longue minute les deux hommes se regardèrent en silence, puis Mr Kelso dit d'un ton courtois :

– Félicitations, monsieur Babbitt, vous avez gagné... voyons voir. – Il consulta une fiche. – Quatre-vingt-six mille trois cents dollars. C'est une jolie somme.

– Pas tellement, dit Charlie en prenant un air dégagé, alors que son cœur cognait dans sa poitrine. Il y a des gains beaucoup plus gros.

– Ma foi, ce n'est pas le montant qui est impressionnant, mais la... manière. – Mr Kelso se renversa contre le dossier de son fauteuil de cuir en joignant les extrémités de ses doigts. – Compter un sabot de six jeux est un véritable exploit. En vérité, c'est une telle performance qu'elle a eu, croyez-le, toute l'attention qu'elle méritait... de ma part. Je ne joue jamais aux cartes, monsieur Babbitt. Je n'aime pas ça.

Charlie prit son air le plus innocent.

– Je ne sais que vous dire...

– Nous enregistrons sur vidéo toute anomalie, l'interrompit Kelso d'une voix soudain glacée. Nous analysons ces films et, s'ils en valent la peine, nous les communiquons aux autres maisons de jeux. Le film dont vous êtes les héros, vous et votre frère, monsieur Babbitt, nous a convaincus de vous prier d'emporter vos gains et de quitter la ville.

Charlie ouvrit la bouche pour protester, mais Kelso l'interrompit de nouveau :

– Rentrez chez vous, monsieur Babbitt, c'est le meilleur conseil que je puisse vous donner... Il posa un regard aigu sur Charlie... A votre place, je le suivrais.

Charlie ne pouvait se tromper sur la menace que sous-entendait Kelso. Les couteaux étaient sortis mais ils n'avaient pas encore quitté leurs gaines. Soudain Charlie Babbitt éprouva une envie pressante de revoir Los Angeles. Il allait rentrer chez lui.

***

Iris ne vint pas au rendez-vous. A dix heures dix, Raymond était prêt à remonter dans sa chambre. Comme il était sans espérances particulières, il n'éprouvait pas de déception, et il accepta même sans hésiter de suivre

Susanna quand elle lui proposa de regagner leur chambre, où il pourrait continuer de regarder la télé. En fait, absorbé par la comédie musicale que diffusait le petit écran de son portable, il ne pensait déjà plus à Iris.

Il gagna lentement les ascenseurs en compagnie de la jeune fille, les yeux rivés à son récepteur. Susanna, regardant par-dessus l'épaule de Raymond, vit Fred et Ginger danser magnifiquement sur la musique de *They Can't Take That Away From Me.*

– Iris danse peut-être comme ça, dit-elle avec enjouement. Dommage. Mais tu auras d'autres occasions, Raymond. Il y a des tas de jolies filles qui aimeraient... danser avec toi, tu sais.

Raymond, toute son attention centrée sur Ginger, ne répondit pas.

– Iris était belle, hein?

– Je ne sais pas.

L'ascenseur arriva, et les portes s'ouvrirent sans bruit. Susanna monta, attendit Raymond. Il s'avança de son pas traînant, le nez toujours sur son écran. Ils étaient seuls dans l'appareil.

– Tu n'avais encore jamais rencontré une fille comme elle? insista Susanna.

– Je ne sais pas, dit-il de nouveau.

La musique du film emplit l'ascenseur. Harmonieuse, entraînante, irrésistible. Impulsivement, Susanna tendit la main et appuya sur le bouton d'arrêt. L'ascenseur s'immobilisa avec une légère secousse. Surpris, Raymond leva les yeux.

– J'aime cette musique, lui dit gentiment Susanna. Tu n'aimerais pas me montrer comme tu aurais dansé avec Iris?

C'était une situation parfaitement imprévisible pour Raymond. Il regarda Susanna sans comprendre, mais il émanait de la jeune femme une douceur si familière qu'il n'avait pas peur. Elle lui prit le téléviseur des mains et le posa avec précaution sur le tapis de l'ascenseur. La musique montait vers eux, les enveloppant de sa suavité.

Susanna se rapprocha de Raymond et tendit les bras dans une invitation à la danse.

– C'est comme ça, n'est-ce pas? demanda-t-elle.

Raymond ne bougea pas. Il la regardait toujours sans comprendre, la tête bizarrement inclinée de côté.

Susanna lui sourit et, lui soulevant doucement les bras, les plaça autour de son cou. Puis, très lentement, elle se mit à danser et... au bout de quelques mesures, Raymond la suivit. Pressés l'un contre l'autre, ils tournèrent dans l'espace étroit, suivant la musique, tandis que Raymond se rappelait la leçon de Charlie et l'exécutait avec un certain style. Le style Raymond.

La musique prit fin, et ils se séparèrent.

– Iris a manqué une bien jolie danse, dit Susanna, émue.

– Et un baiser.

– Un baiser? s'étonna Susanna.

– Charlie Babbitt a dit. Si elle était gentille avec moi. Lui donner. Un petit baiser.

Susanna hocha la tête d'un air pensif puis elle s'approcha de Raymond et lui dit d'une voix douce :

– Montre-moi comment.

Raymond avança les lèvres comme un enfant invité à embrasser une vieille tante. Susanna secoua la tête en riant.

– Ouvre ta bouche et... embrasse... comme si tu mangeais quelque chose de très doux. Quelque chose qui a très bon goût. Elle ouvrit ses lèvres, montrant à Raymond comment faire.

Raymond l'imita et... reçut son premier baiser. Un baiser tendre, doux, qui dura quelques secondes. Quand Susanna s'écarta de lui, elle demanda :

– Comment c'était?

– Mouillé.

– Alors c'est qu'on s'est bien embrassés, dit-elle en riant.

Plongeant la main dans la pochette de son veston, Raymond en sortit le « quelque chose » qu'il devait donner à Iris et il le tendit à Susanna. Stupéfaite, Susanna le regarda en se demandant si elle ne rêvait pas. Raymond voulait lui donner deux billets de cent dollars.

– Charlie Babbitt a dit, déclara Raymond.

Chapitre 12

Le trajet jusqu'à Los Angeles passa rapidement. La Buick, dont la capote était ouverte, fendait l'air sec et chaud. Susanna était à l'avant, à côté de Charlie, et Raymond à l'arrière, contemplant le paysage du désert sans rien perdre du western diffusé sur son mini-récepteur. Susanna lui avait bandé la main qu'il s'était mordue si sauvagement. De temps à autre, il se penchait en avant pour rappeler à Charlie la promesse que celui-ci lui avait faite de l'emmener au stade Dodger pour y assister à un match de base-ball. N'était-ce pas pour ça qu'ils allaient à Los Angeles? Pour voir jouer l'équipe des Dodgers? Avec les rappels de Raymond, Charlie ne risquait pas d'oublier cette promesse faite une semaine plus tôt, et il assura Raymond, autant de fois que celui-ci le lui demanda, qu'ils iraient, comme promis, et aussi parce que c'était écrit dans les cartes.

Charlie était rompu. Il avait un terrible besoin de se reposer. Il n'avait pas beaucoup dormi les nuits précédentes, et encore moins la nuit précédente, passée dans les bras de Susanna. Cependant, malgré sa fatigue, Charlie se sentait bien. Il avait plus de quatre-vingt mille dollars en poche, la femme qu'il aimait à ses côtés, son frère sur le siège arrière, et le casino ne l'avait pas balancé aux requins. La vie n'était pas si moche, après tout.

À un moment il laissa même conduire Raymond. Pendant quelques minutes. La route était déserte, la voiture roulait à cinquante kilomètres à l'heure. Charlie avait le pied sur l'accélérateur, mais Raymond tenait le volant, et Susanna était pliée de rire sur le siège arrière.

– Ne regarde pas ta télé, maintenant que tu conduis, dit Charlie en riant de voir son frère tenté de jeter un coup d'œil à ce qui se passait sur le petit écran.

– Je suis un... excellent... conducteur, répliqua Raymond.

Quand ils eurent déposé Susanna chez elle, à Santa Monica, Charlie emmena Raymond dans le modeste logement qu'il occupait dans l'un de ces milliers de complexes de style latin qui fleurissaient à la périphérie de Los Angeles. Ils se ressemblaient tous. Il y avait toujours dans le patio, à côté de la piscine, un grand avocat aux fruits immangeables, une haie de lilas, quand celle de la maison voisine n'était pas de bougainvillées.

Les appartements situés au rez-de-chaussée donnaient sur le patio et la piscine. Ceux du premier et du second étage sur un balcon qui les surplombait. Il n'y avait pas de troisième niveau. Le style hispanique, revu et corrigé par Hollywood, inspirait la décoration. Crépi sur les murs, fausses cheminées de fausses briques, cuisines plus réduites qu'un placard à balais. La seule différence entre eux était le loyer, ce dernier fonction du quartier. On payait le voisinage. Le petit collectif où habitait Charlie se situait à la périphérie de Brentwood, étiqueté « beau quartier ». Éloigné du centre de cette zone résidentielle, Charlie n'en partageait pas moins le même code postal et... le taux exorbitant des loyers.

Charlie poussa la porte et entra en bousculant Raymond qui se tenait dans l'entrée en regardant attentivement autour de lui.

– Nous vivons ici? demanda-t-il enfin. Bien sûr, ils ont enlevé le lit.

– Ray, c'est moi qui vis ici, dit Charlie sans passion.

– Et moi? Où je vis?

– Ta chambre est là.

Charlie lui indiqua une petite pièce qu'il utilisait comme chambre d'ami ou comme bureau, selon les besoins. Elle contenait une table, une petite armoire-classeur, deux chaises, et un canapé-lit. Raymond s'avança pour jeter un coup d'œil à l'intérieur. Inquiétude subite.

– Bien sûr, quelqu'un a volé le lit. Ma chambre... est... sans lit... Je vais être... sans lit... en...

– En 1988, acheva pour lui Charlie avec un sourire, qui

pour effet de calmer quelque peu Raymond. Tu as la chambre magique... Celle où le canapé se transforme en lit. Regarde. – Charlie déplia le meuble et le replia. – Tu pourras le pousser sous la fenêtre. Tu aimes bien avoir ton lit sous la fenêtre, hein?

Raymond réfléchit à sa nouvelle situation et parut la trouver acceptable. Mais un autre problème surgit aussitôt.

– Et bien sûr, mes livres...

– C'est vrai, les livres, approuva Charlie. Nous allons en acheter. Fais donc une liste de tous ceux dont tu as besoin.

Ça, c'était une proposition qui ne pouvait que plaire à Raymond. Il pénétra dans la pièce, enleva son sac à dos, chercha le calepin approprié et entreprit de dresser une liste de ses besoins livresques. Les listes, il aimait. Elles le rassuraient, hormis celles des Blessures Graves et des Événements Dramatiques.

Charlie s'en fut vérifier les messages sur son répondeur. Le compteur en indiquait trois. Il enclencha la touche de lecture.

« Je vous appelle pour vous confirmer le rendez-vous pour Mr Raymond Babbitt avec le Dr Marston, dit une voix féminine à l'accent britannique. Dix heures demain matin. Quarante-cinq, Roxbury Drive. Au revoir. » Parfait. Charlie attendait ce message.

« Bonjour, c'est Susanna. Je... je voulais juste savoir si vous étiez bien arrivés. Je vous embrasse. » Ça faisait du bien d'entendre sa voix.

– Est-ce que je peux regarder la télé, maintenant? demanda Raymond dans la pièce voisine.

« Mr Babbitt, ici le Dr Bruner. » Le dernier message était une surprise. « Je suis descendu au Bonadventure. Je pense que nous devrions avoir un entretien. » Fin de message.

Merde, Bruner! Charlie ne se sentait pas prêt pour affronter le psychiatre. Il n'avait même pas pensé que ce dernier pût faire tout ce trajet pour le rencontrer. Mais, à la réflexion, trois millions de dollars valaient le voyage. Pour une somme pareille, Charlie aurait poussé une cacahuète avec son nez jusqu'en Nouvelle-Zélande. Et en tutu de danseuse, encore.

Il lui semblait seulement que Wallbrook était loin, comme si son univers appartenait à un lointain passé. Charlie n'associait plus Raymond à Wallbrook. Raymond était son frère.

Après avoir téléphoné au Dr Bruner à son hôtel et être convenu d'un rendez-vous chez lui, à Brentwood, Charlie eut tout juste le temps de prendre une douche, de se raser et d'enfiler une chemise et un jeans. Raymond était dans sa chambre, installé sur son canapé-lit, devant la télé, un paquet de pommes chips à portée de main.

Quand le Dr Bruner sonna à l'appartement, Charlie alla ouvrir non sans s'assurer d'abord que le psychiatre n'était pas accompagné de quelques gorilles en blouses blanches pour emmener de force Raymond. Mais le docteur était seul, et son visage n'était pas celui d'un homme en colère. Il entra dans l'appartement en souriant courtoisement et en demandant seulement :

– Raymond?

– Il est ici, répondit Charlie en lui désignant la petite pièce attenante au salon.

Le Dr Bruner alla jusqu'au seuil et regarda dans la chambre. Raymond avait l'air en bonne santé, calme et ressemblait toujours à Raymond. Bien qu'il prît note de sa main bandée, le Dr Bruner ne fit aucun commentaire.

– Y a-t-il un endroit où nous pourrions parler en privé? demanda le docteur.

– Oui, dans le patio.

Les deux hommes sortirent dans la cour, et Charlie laissa la porte entrouverte, au cas où Raymond aurait besoin de quelque chose.

– J'irai droit au but, commença le Dr Bruner. En ce moment même mon avocat rencontre le vôtre, afin de lui exposer les faits.

Charlie se contenta de hocher la tête.

Bruner sortit de sa poche un document et le tendit à Charlie, qui le parcourut des yeux sans y toucher.

– Ceci est un ordre de restriction temporaire vous interdisant, sous peine de poursuites, de déplacer Raymond jusqu'à ce que soit prise une décision judiciaire.

Le docteur dévisagea Charlie, mais celui-ci ne cilla pas. Ce fouineur de cerveaux se mettait le doigt dans l'œil s'il pensait pouvoir démonter aussi aisément Charlie Babbitt.

– Voyez-vous, Charlie, continua le Dr Bruner, quand nous en aurons terminé avec l'audition, Raymond sera placé à Wallbrook. Placé d'office. Ceci pour la première fois de sa vie. Et grâce à vous.

Charlie considéra le docteur d'un air de défi.

– Cela dépendra du juge, non?

– Le juge se rangera à l'avis du psychiatre désigné comme expert, le Dr Marston. Vous avez rendez-vous demain matin avec lui.

– Parfait, dit Charlie. J'espère que ce type a l'esprit ouvert.

Ces salauds de psy, pensa-t-il, il pouvait s'attendre à ce qu'ils se liguent contre lui. Les loups ne se mangeaient pas entre eux.

– Je lui ai communiqué le dossier de Raymond, dit le Dr Bruner avec un fantôme de sourire, et, croyez-moi, son dossier est plus qu'éloquent. Pour moi, cette affaire n'est qu'une formalité. Votre frère n'est pas une personne normale. Ne l'avez-vous pas remarqué?

– Vous devriez le voir, maintenant, dit Charlie avec passion. Voir ce qu'il est capable de faire. Il... il sourit, vous entendez?

– Je sais, répliqua le Dr Bruner. Susanna me l'a dit.

Susanna? Que diable venait-elle faire ici?

– Je l'ai vue tout à l'heure, expliqua le psychiatre. Elle pense que Raymond a fait des progrès. – Il sourit. – Elle pense même que vous aussi, vous en avez fait. Quant à votre frère, ma foi, il est facile de se laisser aller à l'enthousiasme, dès qu'une amélioration se fait jour. Un changement de décor, de nouvelles aventures, et ils donnent l'impression d'avoir progressé. Ce n'est qu'une impression.

Charlie sentait la colère monter en lui. Qu'est-ce qu'il en savait, ce bonhomme? Que savait-il des jours passés avec Raymond? Rien! Il n'avait rien vu!

– Ils plafonnent, continua Bruner. Et puis ils régressent. On ne soigne pas un autiste en l'envoyant en vacances, Charlie.

– C'est égal, rétorque Charlie. On verra bien ce qu'en pensera votre Marston et ce que décidera le juge.

Le sourire du Dr Bruner se dissipa.

– C'est une cause perdue d'avance, Charlie. Et cela

depuis le début. Votre père m'a donné en tant que tuteur un pouvoir discrétionnaire. Cela signifie que, quelle que soit l'issue de l'audience, que vous parveniez ou pas à obtenir la tutelle de Raymond, je n'aurai pas à vous verser un seul dollar.

Ça, c'était un sale coup et, cette fois, Charlie l'accusa. Il réprima une grimace de douleur, déterminé à garder son sang-froid, quoi qu'il arrive.

– Cet argent ne m'appartient pas, Charlie, et le carnet de chèques que j'ai apporté avec moi est à Raymond, dit-il en sortant un chéquier de sa poche. Je comprends votre colère, et je suis prêt à vous signer un chèque, au nom de Raymond, pour un gros, un très gros montant.

– Et pourquoi cela?

– Je ne pense pas que vous ayez une seule chance de gagner, Charlie. Mais c'est un risque que je ne tiens pas à courir. La vie et le bien-être de votre frère sont en jeu, et je n'ai pas l'intention de jouer avec, même en ayant presque toutes les chances de mon côté.

– Vous voulez m'acheter? Charlie sourit d'un air cynique. *Ce type a peur*, se dit-il. *J'ai peut-être encore une chance.*

– Je suis responsable de l'argent dépensé au bénéfice de Raymond, et je suis persuadé que c'est là la meilleure dépense qu'il puisse faire.

– Combien?

– Deux cent cinquante mille dollars. Et vous abandonnez votre demande de tutelle.

Le Dr Bruner sortit un stylo Mont-Blanc de sa poche, et la plume en or courut en crissant sur le papier. Le docteur tendit poliment le chèque à Charlie.

Charlie examina le chèque avec tout le respect qu'il méritait. « A Charles Babbitt » lut-il, « la somme de deux cent cinquante mille dollars ». Tout cela écrit d'une belle écriture fine. Superbe. Un quart de million de dollars. On pouvait s'en payer avec ça. Puis, sans un mot, il déchira le chèque en quatre morceaux qu'il tendit à son tour poliment au Dr Bruner.

L'entretien était terminé.

***

Naturellement, Raymond avait fermement dans l'idée qu'ils iraient dès le lendemain de leur arrivée au stade Dodger pour y assister à un match de base-ball. Et naturellement, quand Charlie dut lui dire qu'il n'y aurait pas de match de base-ball aujourd'hui, cela bouleversa Raymond au point qu'il se referma sur lui-même et entra dans l'une de ces parties de base-ball imaginaires, qui représentaient une manifestation majeure de son autisme. Dans deux heures, ils avaient rendez-vous avec le Dr Marston, pour prouver à celui-ci que Raymond Babbitt se trouvait bien mieux avec son frère Charlie qu'à Wallbrook, et que les progrès qu'il avait accomplis en quelques jours tenaient du miracle. Et voilà que Raymond l'autiste venait d'embarquer dans l'un de ses délires les plus tenaces.

– Frank Robinson, troisième balle! cria Raymond de l'aire de lancer. – Il était très en colère contre Charlie Babbitt. Charlie avait promis. – Harmon Killebrew, troisième balle!

– Écoute, lui expliqua Charlie pour la sixième fois, nous ne pouvons pas aller à Dodger aujourd'hui. Nous avons rendez-vous avec le docteur.

– Henry Aaron, troisième balle! Raymond était en forme, ses lancers de balle trompaient les uns après les autres les meilleurs batteurs. Liftée, infrappable, sa balle était la terreur de ses adversaires.

– Ray, arrête une minute, je t'en prie! supplia Charlie.

Raymond suspendit son geste, une jambe levée, main droite ramenée en arrière refermée sur une balle imaginaire.

– Je suis désolé pour le match. Et quand un type dit qu'il est désolé, l'autre lui répond...

– Pete Rose, troisième balle!

– Très bien, grogna Charlie. Vas-y, continue. Fous tout en l'air!

– Babe Ruth, troisième balle!

– Bon, ça suffit, maintenant, Ray! Charlie perdait patience. Ça suffit, tu entends?

Mais Raymond lançait de plus en plus fort, de plus en plus vite.

– Mickey Mantle, troisième balle!

Il forçait à la faute toutes les stars de la batte, les éliminant les uns après les autres après leurs trois essais réglementaires.

– Ray, je t'ai dit d'arrêter. Charlie avança vers lui, désespéré de le ramener à la réalité.

– Charlie Babbitt, troisième ba...

– Mauvaise balle! cria Charlie, et Raymond s'arrêta net. Mauvaise balle? Pendant un long moment, les deux frères se dévisagèrent, puis Raymond leva un pied et moulina du bras.

– Tu veux vraiment jouer au base-ball? demanda Charlie. Alors, viens.

Et il entraîna un Raymond médusé hors de la maison pour se rendre deux rues plus loin sur le terrain de jeux d'un parc. En chemin, ils s'arrêtèrent dans une épicerie pour acheter un carton de boîtes de bière pour Charlie.

Il faisait chaud en ce jour de juillet, de cette chaleur qui fait tirer la langue aux chiens et se réfugier les chats dans les coins d'ombre. Les gosses sortaient pour manier la batte, mais leur enthousiasme tombait rapidement, les laissant échoués dans l'herbe de la pelouse, à boire du soda et à discuter de sport au lieu d'en faire.

C'était le cas de ces deux garçons d'une dizaine d'années allongés sur le gazon du parc. Ils suçaient une bouteille de Coca-Cola, leurs gants et leurs battes abandonnés dans l'herbe.

– Hé, les gamins, appela Charlie, vous nous prêtez une batte et une balle pendant quelques minutes? Pour dix dollars?

Pour dix dollars? Vraiment? Bien sûr, m'sieur! Le plus petit des deux lança la balle à Raymond, qui, gêné par son bandage, l'attrapa gauchement des deux mains et la serra précieusement contre sa poitrine. Il avait lancé dans plus d'un championnat de première division, mais il n'avait jamais eu en main de vraie balle. Il l'examinait maintenant avec la plus extrême fascination.

Charlie ramassa la batte et désigna le terrain de baseball aux deux garçons.

– On sera là-bas, leur dit-il puis, le carton de bière sous un bras, et la batte sous l'autre, il partit au trot en direction du terrain, Raymond le suivant en tricotant des jambes, les yeux emplis d'étonnement.

Charlie traça dans la poussière l'hexagone à l'intérieur

duquel se tenait le batteur, tandis que Raymond passait sous la chaîne délimitant le terrain et s'avançait au hasard sur la pelouse.

– Hé! où vas-tu? l'appela Charlie. La bosse est ici. Tu es lanceur, non?

Charlie lui désignait le léger monticule où se tiennent les lanceurs. La réalité semblait paralyser Raymond. Il restait là, les yeux ronds, complètement statufié.

– Allez, bouge-toi, bébé! On va pas rester là toute la journée!

Positionné légèrement en retrait du plateau hexagonal, Charlie allait jouer l'attrapeur dans l'équipe de Raymond. D'un pas hésitant, Raymond s'approcha de la bosse. Charlie frappait du poing dans sa main nue, comme s'il portait un gant, et encourageait à sa manière Raymond, comme le font les attrapeurs à leurs lanceurs.

– Ne regarde pas cette balle comme si c'était une grenade! Tu sais ce que tu dois faire. Lance-la. Sur moi. De tout ton jus!

Raymond promena son regard sur le terrain vide. Il ne savait que faire ni surtout comment faire.

– Fin de la neuvième! cria Charlie, imitant le commentateur sportif et plantant le décor pour Raymond. Les Rouges de Cincinnati sont sur le point de prendre une revanche attendue depuis quarante ans!

Raymond tourna la tête vers Charlie, suivant attentivement ce qu'il disait.

– Et ils l'ont maintenant, cette chance! annonça Charlie. L'homme du match, celui qui a su défaire tous les meilleurs batteurs jusqu'à cette minute, Raymond Babbitt, le légendaire Rain Man, s'apprête à lancer de nouveau!

En réponse à la question muette qu'il lisait dans les yeux de son frère, Charlie hocha la tête. *Tu peux le faire, Ray. Tu peux le faire, Rain Man.*

– Allez, un lancer d'échauffement. On mouline...

Raymond parut se décider. Il leva la jambe de cette façon comique qu'il avait d'imiter le geste du lanceur, leva le bras et lança la balle. Elle passa à plus de trois mètres au-dessus de Charlie et vint heurter mollement le grillage.

– Bravo! cria Charlie. Ce type lance de la fumée! De la fumée!

Raymond montra les dents dans un sourire gelé. Il n'avait plus qu'à marquer de nouveau pour remporter cette manche. Y arriverait-il? Rain Man, le lanceur, pourrait-il battre le redoutable batteur qu'était Charlie Babbitt?

Charlie ramassa la balle et alla consulter Raymond. Les Rouges avaient une chance, et une sérieuse. Il ne restait plus que ce Yankee entre deux, moulinant avec sa batte pour impressionner la galerie.

Les spectateurs retenaient leur souffle, tandis que le lanceur et son attrapeur s'entretenaient à voix basse, pour décider de leur stratégie.

– On va leur montrer ce qu'on sait faire, Rain Man, murmura Charlie, comme si des oreilles indiscrètes traînaient autour d'eux. Mais d'abord il faut déplacer la bosse.

Raymond le regarda sans comprendre mais il suivit Charlie et le regarda faire un petit tas de poussière avec son pied.

– Comme ça, lui expliqua Charlie, qui avait rapproché l'aire du lanceur d'une bonne vingtaine de mètres de celle du batteur, tu ne seras pas obligé de lancer fort. Tu sais, tes balles sont terribles, et aucun batteur ne peut les frapper.

Raymond hocha la tête. Ça tombait sous le sens. Charlie regagna sa position et, légèrement arc-bouté, attendit.

Raymond loba une balle qui arriva à proximité de Charlie. Celui-ci leva le pouce en signe de félicitation.

– Tu leur as fait peur, Ray. Ils courent comme des fous, mais ils n'y arriveront pas. Ces Yankees sont en train de faire dans leurs culottes!

Charlie renvoya la balle à Raymond puis il ramassa la batte, la soupesa, se livra à quelques swings d'essai. Il était maintenant à la fois batteur et commentateur. Il s'avança d'un pas décidé sur l'aire du batteur.

– Et voici la star de la batte, Charlie Babbitt, dit le Marteleur! Il va frapper pour les Yankees, et il n'est pas impossible qu'il renverse la situation. Dans les gradins, c'est la folie... Charlie imita les clameurs de la foule et se mit à scander... le-Marte-leur! le-Marte-leur!

Sur sa bosse le lanceur vérifia ses bases, s'assurant qu'elles étaient prêtes. Puis il fit face au batteur, un masque de détermination au visage. Ce point était décisif.

– La foule retient son souffle, mesdames et messieurs, annonça Charlie. Un combat de géant commence. Rain Man s'apprête à lancer...

Raymond leva une jambe, le bras, et lança une balle qui atterrit à deux mètres du batteur. Le Marteleur n'en fendit pas moins l'air de sa batte et... manqua la balle.

– Première balle! cria Charlie.

Raymond se livra à une petite danse triomphante, tandis que Charlie allait récupérer la balle.

– Rain Man est imbattable, aujourd'hui, reprit-il de sa voix de chroniqueur. Il possède tous les coups...

Il reprit sa place à la batte. Et Raymond lança sa deuxième balle. Le Marteleur frappa de toutes ses forces, manquant de plusieurs mètres une balle qui vint mourir à quelques centimètres de ses pieds.

– Deuxième balle!

Raymond vibrait littéralement d'enthousiasme. Avoir vu pour la deuxième fois Charlie, le Marteleur, manquer sa frappe était la chose la plus extraordinaire qui lui soit jamais arrivée, encore plus fort que sa danse avec Susanna, mieux que de compter les cartes à la table de black-jack. Ça, lancer une vraie balle de base-ball, et contre des champions tels que ce Marteleur, et le battre!

– Le Marteleur n'en revient pas, reprit Charlie le chroniqueur. Il renvoya la balle à Raymond. Oui, mesdames et messieurs, le fameux, le grand Marteleur n'a plus qu'une seule et unique chance de sauver son équipe du désastre...

Raymond s'apprêta à lancer sa balle.

– Vas-y, Ray, l'encouragea Charlie. Mais cette fois, ce n'était ni la voix du Marteleur, ni celle de l'attrapeur de Raymond, ni celle du présentateur sportif. C'était celle de Charlie Babbitt. Vas-y, Ray, lance. Et cette fois, je vais te la frapper, cette balle. Et si fort qu'elle va s'envoler jusqu'au Kansas!

Les paroles de Charlie, le ton de sa voix firent hésiter Raymond. Il regarda en direction de son frère, qui se tenait là-bas en balançant sa batte, et une ombre passa sur lui. Il s'écarta d'un pas de la bosse.

– Reste où tu es, mon pote! C'est mon tour. Tu vas voir, jusqu'au Kansas!

Raymond se réinstalla sur la bosse. Il était nerveux. Il

moulina du bras, balança le buste en arrière et lança la balle de toutes ses forces.

C'était une balle longue, lente. Miraculeusement, elle flotta jusqu'à l'aire du batteur, avec une telle mollesse que même un aveugle aurait pu la frapper. Plus miraculeusement encore, Charlie balança sa batte de toute son énergie, bien décidé à l'expédier dans les airs... et il la rata complètement. On entendit la batte siffler dans l'air, et ce fut tout. Emporté par son élan, Charlie perdit l'équilibre et chuta lourdement sur son séant. Le Marteleur, fierté des yankees, avait raté le coche. Charlie avait échoué, et piteusement. Raymond avait gagné. Charlie ne pouvait y croire. Non, ce n'était pas possible qu'il eût manqué cette balle-là!

Troisième lancer gagnant. Le match était fini. Raymond Babbitt, Rain Man Babbitt, avait vaincu le Marteleur! Il se mit à sautiller en poussant des cris de joie.

Mais quand il vit Charlie assis dans la poussière, l'air complètement abattu, sa félicité s'envola. Il se dirigea vers Charlie de son pas incertain, une lueur d'inquiétude dans le regard. Charlie leva les yeux, et le vit debout devant lui. Puis Raymond s'assit par terre à côté de lui. Un frère avec son frère. Chacun dans son propre monde.

Soudain Charlie sentit une main lui toucher le visage. La main de Raymond. Sa main qui le touchait, et la voix de Raymond, basse comme une prière... « C-h-a-r-l-i-e-e-e-e. » La main s'écarta. Charlie se demanda pendant une seconde s'il n'avait pas rêvé, mais l'émotion qui lui faisait battre le cœur n'était pas un rêve.

– Tu veux une bière? Charlie sourit à Raymond, et il tendit la main vers le carton de bières, en détacha deux, arracha les languettes d'aluminium, et tendit une boîte à Raymond.

Raymond regarda la boîte de bière dans sa main.

– Bien sûr, ils ont perdu le verre.

– Ça ne fait rien, dit Charlie avec un sourire dont la tendresse l'aurait surpris s'il avait pu se voir. Les verres, c'est bon pour les filles. Les hommes boivent leur bière comme ça. Renversant la tête en arrière, il but une longue gorgée à la boîte. Raymond l'observa attentivement, puis il suivit son exemple. L'amertume de la bière lui arracha une grimace comique.

– Tu sais, Ray, j'ai vraiment essayé de frapper cette balle, dit Charlie avec tristesse. Mais...

– J'ai fait un bon lancer, dit Raymond.

Les larmes brouillèrent la vue de Charlie, et il les chassa en clignant fortement les paupières.

– Ouais, un sacré bon lancer, approuva-t-il. Il but une autre gorgée et s'essuya la bouche du revers de sa main. Bon Dieu, c'est dommage qu'il n'ait pas été là pour voir ça, dit-il doucement. Qu'il t'ait vu lancer cette balle.

Raymond et lui se regardèrent, mais il sembla à Charlie que son frère n'avait pas compris.

– Je parle de papa, Ray.

Raymond parut réfléchir.

– Papa te prenait dans ses bras. Il t'embrassait.

Mon père m'embrassait? pensa Charlie. *Non, impossible.*

– Vraiment? demanda-t-il.

– Vraiment, répondit Raymond.

– Oui, peut-être, quand j'étais petit. Il ne savait pas encore que je ne serais pas comme il voulait que je sois. Oui, dommage qu'il n'ait pas été là, aujourd'hui. Je lui en aurais remontré, dit-il amèrement.

– Papa savait. A propos de remontrer.

Ce fut au tour de Charlie de ne pas comprendre. Et Raymond s'en aperçut.

– J'ai dit, où est mon frère Charlie Babbitt? Et papa a dit il est en Californie. Et un jour... Raymond s'interrompit pour porter la boîte de bière à ses lèvres et boire une longue gorgée... Un jour, il en remontrera à tous.

Il sembla à Charlie que le ciel s'assombrissait, puis s'éclaircissait pour s'assombrir de nouveau et que la terre se retrouvait sens dessus dessous. Dix années de ressentiment le quittèrent comme une mue. Son père l'avait aimé.

Il leur en remontrerai. Sanford Babbitt avait dit ça. Après tout, il avait aimé ce fils, mais celui-ci ne l'avait jamais su, et maintenant il était trop tard. Pour la première fois Charlie considérait non pas la douleur que son père lui avait causée, mais celle qu'il lui avait lui-même infligée. Oui, son père avait beaucoup souffert. Il y avait eu Raymond, un enfant pas comme les autres, puis la mort de sa femme, et ensuite le départ de Charlie, sur lequel il avait dû fonder tant d'espoirs. Mais voilà, chacun était resté enfermé dans ses propres frustrations, avait campé dans son monde sans jamais, par un absurde orgueil, faire un premier pas vers l'autre.

Les lèvres de Charlie tremblèrent, et il détourna les yeux. Quand il regarda de nouveau Raymond, celui-ci le fixa d'un regard troublé. Raymond, son frère. Rain Man. Charlie approcha son visage de Raymond et plongea ses yeux dans les siens. Son front touchait presque celui de son frère.

Et Raymond avança la tête pour que, cette fois, leurs fronts se touchent vraiment, s'appuient l'un contre l'autre. Pour la deuxième fois en quelques instants, Raymond le touchait. Les deux frères continuèrent de se regarder. Et ils établirent cette communication que les médecins tenaient et tiendraient probablement encore pour impossible.

– C'est comme si on se serrait dans les bras, murmura Charlie.

– Vraiment, je suis un excellent conducteur, dit Raymond.

Chapitre 13

Charlie Babbitt était prêt à se venger de toutes les humiliations, de toutes les tracasseries subies pendant ces dix dernières années. Rain Man et lui allaient n'en faire qu'une bouchée de ces psychiatres à la manque, pourvu que Raymond joue bien son rôle. Ce Marston et ce Bruner regretteraient de s'en être pris aux frères Babbitt. Après tout, qui pouvait le mieux prétendre au droit à la garde de Raymond, d'une maison de repos pour malades mentaux ou de son frère de sang?

Malgré sa détermination, quand il appela l'ascenseur dans le parking souterrain de l'immeuble dans Roxbury Drive, Charlie dut se retaper une fois de plus le moral. Qui sont les meilleurs? Raymond et Charlie Babbitt! Et on va voir ce qu'on va voir!

Ils avaient belle allure dans leurs costumes italiens de flambeurs de casino. Deux types impeccablement sapés, inspirant le respect. Charlie plaqua un sourire sur son visage et serra dans sa main la poignée de sa mallette à l'arrivée de l'ascenseur.

« Entrez sans frapper. » Charlie poussa la porte portant une simple plaque de cuivre gravée d'un *Philip Marston, Docteur en Médecine*, et la tint ouverte pour laisser passer Raymond. Comme d'habitude, celui-ci hésita sur le seuil, et Charlie, le passage bloqué, piétina derrière lui.

– Ah, monsieur Babbitt? Cette voix à l'accent britannique, que Charlie avait entendue sur son répondeur. La secrétaire de Marston, mince comme une tranche de cake anglais, suintant une discrète efficacité par tous les pores de sa peau laiteuse, levait des sourcils en accents circonflexes derrière de fines lunettes d'écaille. Le bureau de réception dans lequel elle officiait dégageait un air de confort marié au bon goût. Beaux capitonnages un peu passés, toiles de petits maîtres dans leurs cadres dorés aux murs, bureau en loupe de noyer et l'inévitable aquarium. Charlie se demanda si avec son diplôme chaque psychiatre ne recevait pas un aquarium.

Raymond hocha la tête. Il était bien Mr Babbitt.

– Prendrez-vous un café? demanda poliment la jeune femme.

Elle portait un plateau avec deux tasses, une petite cafetière en porcelaine, un sucrier. Raymond secoua la tête. Pas de café.

– Je vous prie, asseyez-vous. Je vais vous annoncer. Sur ce, elle s'en fut vers le cabinet du Dr Marston. Charlie suivit Raymond à l'intérieur, et ils prirent place chacun sur un fauteuil. Charlie saisit l'occasion d'un dernier briefing avec Raymond.

– Bon, tu te souviens de tout?

– Bien sûr, je me souviens de tout.

– Non, non, on ne dit pas « bien sûr ».

– Bien sûr, on ne dit pas « bien sûr ».

– Alors, tu restes tranquille. Tu n'agites pas les mains. Tu ne parles pas vite. Tu ne regardes pas autour de toi comme un radar... Charlie imita le mouvement de tête tournant de Raymond... Pas de notes, pas de chuchotements, et, naturellement, pas de...?

– Pas de balancements, pas de base-ball, pas de tremblement, pas de tout...

Charlie hocha la tête d'un air approbateur.

– Et quand ils t'interrogeront au sujet de ta main? Il désigna le pansement à sa main.

Raymond plaça ses deux mains sur un volant imaginaire, mimant la conduite d'une automobile. Parfait. Charlie sourit à son frère, se pencha vers lui pour lisser les revers de son veston, resserrer sa cravate.

– Tu vas y arriver, tu verras, ça marchera, et je serai fier de toi, lui dit-il tout bas.

Puis il veilla à rabaisser la ceinture du pantalon de Raymond à une hauteur moins clownesque et, sortant un peigne de sa pochette, entreprit de lui refaire une raie impeccable. Là, il était beau comme un roi!

Raymond, pour ne pas être en reste, lui prit le peigne des mains et le passa dans les cheveux de Charlie, avec un résultat plutôt échevelé. Puis il lui remonta son pantalon là où il devait être – à hauteur de la poitrine. Là, Charlie était beau comme un roi!

Charlie réprima une envie de rire et ouvrit sa mallette. Elle contenait les affaires de Raymond, celles qu'il trimballait toujours avec lui dans son sac à dos.

– Bon, tout est là. Si jamais tu te demandais soudain où sont passés tes trucs, pense à ma mallette. Tu sauras alors que tout est dedans. Tu vois? Tes chaussettes, ta télé, tes calepins, les crayons, tout... Il sortit le calepin rouge, le montra à Raymond... Voilà la liste des Blessures Graves.

Charlie feuilleta les pages, parvint à son nom. « Charlie Babbitt est le numéro dix-huit. En 1988. » A côté du nom de Charlie, Raymond avait dessiné une petite étoile, un astérisque indiquant un renvoi. Charlie porta son regard au bas de la page. Le petit signe en forme d'étoile était là, avec à côté :

« Charlie Babbitt est pardonné. Le 18 juillet 1988. »

Pardonné. Charlie considéra les mots jusqu'à ce que sa vue se brouille. Pardonné. Bon Dieu, ça voulait en dire des choses! Il eut une soudaine et violente envie de partager cet instant avec son frère. Mais quand il leva les yeux vers Raymond, il le vit qui regardait attentivement l'aquarium.

– Pitoyables, murmura Raymond. Pitoyables poissons.

– Ray, tu voudrais bien m'écouter une minute? demanda Charlie d'une voix altérée par l'émotion.

Mais Raymond, absorbé par l'aquarium, ne répondit pas.

– Ray, regarde-moi.

Quelque chose dans le ton de voix de Charlie dut atteindre Raymond car il se détourna des poissons pour regarder son frère. Et celui-ci lui dit d'une voix hésitante, basse, et tellement différente de sa faconde et de sa volubilité habituelles :

– Si... si j'avais... besoin de parler à quelqu'un... d'une chose importante... Il regardait Raymond dans les yeux, se demandant avec inquiétude si son frère pouvait le comprendre... Est-ce que tu pourrais... est-ce que tu saurais m'écouter? M'écouter vraiment? Juste une fois?

Raymond avait penché sa tête de côté, réfléchissant à la question. Puis il se mit à hocher longuement la tête, et Charlie attendit patiemment qu'il ait fini. Alors Charlie parla très doucement, mais l'angoisse se lisait sur son visage.

– Ray, je ne sais pas ce que je veux. Je suppose que je tiens ça de famille, pas vrai?

Raymond ne perçut pas ce dernier trait d'humour, mais Charlie n'aurait su lui en vouloir.

– Il n'y a rien dans ce monde qui me fasse vraiment envie, poursuivit-il d'une voix remplie de confusion, de désespoir. Il avait le sentiment que le système de valeurs sur lequel il s'était appuyé jusqu'ici pour survivre venait de se décomposer sous ses yeux. Je... je ne sais plus où je vais, ajouta-t-il, complètement perdu.

Il y avait des questions auxquelles Raymond Babbitt pouvait répondre. Combien y avait-il de cure-dents par terre? A quelle heure apparaissait Wapner? Combien d'argent avait gagné tel ou tel concurrent à « La Roue de la fortune »? Et en répondant à quelles questions? Mais à celle de Charlie Babbitt il n'avait pas de réponse.

Et Charlie ne l'ignorait pas. Il s'accrochait toutefois à ce qu'il avait reçu de Raymond, et qui s'appelait le pardon. Personne d'autre que lui n'avait été effacé de la liste des Blessures Graves. Personne! Et ce fait prenait une signification fantastique. Charlie relut la note en bas de page. Pardonné! Son cœur se serra.

La secrétaire du Dr Marston réapparut. Elle vit les deux frères assis côte à côte. Le plus âgé était un homme distingué, impeccablement coiffé, le regard brillant d'intelligence. Mais le plus jeune, ce garçon autistique, le cheveu en bataille, son costume, une pauvre parodie de celui de Mr Babbitt, fixant d'un regard mouillé un petit calepin rouge. Pauvre garçon.

– Si vous êtes prêt, Mr Babbitt, le docteur peut vous recevoir, dit-elle... à Raymond.

Raymond hocha la tête, se leva et tira sur les pans de sa veste, comme il avait souvent vu Charlie le faire. Puis il se tourna vers ce dernier et lui fit signe de venir.

La secrétaire regarda Charlie avec un sourire compatissant et lui demanda d'un ton maternel :

– Est-ce que je peux vous servir quelque chose? Un jus de pomme? Un coca?

Pendant un instant Charlie la considéra sans comprendre, puis il lui vint une formidable envie de rire, qu'il eut toutes les peines du monde à réprimer. Il se leva, lissa ses cheveux, rabaissa la ceinture de son pantalon à la hauteur normale, et prit sa mallette.

– Bourbon et soda, dit-il à la secrétaire stupéfaite tandis qu'il passait devant elle pour pénétrer dans le sanctuaire du Dr Marston. Il éprouvait à cet instant un sentiment de triomphe. C'était lui, et lui seul, qui avait fait de Raymond ce nouvel être capable de tromper la secrétaire distinguée d'un éminent psychiatre. Bravo, trois fois bravo, Charlie Babbitt! Il n'avait plus peur.

Le Dr Bruner se trouvait avec le Dr Marston. Le couple d'experts attendait.

– Bonjour, Raymond, dit le Dr Bruner. Quel beau costume. Très élégant.

Raymond ne répondit pas à ce compliment. Ses yeux enregistraient déjà le décor du Dr Marston... le Degas sur le mur, les étagères chargées de livres aux reliures de cuir. Des centaines et des centaines d'ouvrages.

– Raymond, voici le Dr Marston.

Contrastant avec son luxueux cabinet, le Dr Marston semblait bien ordinaire avec son pantalon de toile et sa chemise de sport aux manches retroussées. Il était plus jeune que son confrère Bruner, et plus bel homme.

– Est-ce... est-ce qu'ils sont tous à vous? demanda Raymond.

– Il parle des livres, intervint Charlie.

– Vous aimez les livres, Raymond? demanda le Dr Marston d'une voix grave au ton rassurant.

– Oh, Raymond adore la lecture, dit le Dr Bruner. Et il se souvient de chaque phrase. C'est tout à fait stupéfiant.

Raymond ne dit rien. Charlie lui avait bien recommandé qu'il valait mieux se taire. Bouche fermée. Clap.

– Je vois que vous la main bandée, remarqua le Dr Bruner. Vous vous êtes blessé?

Un silence se fit pendant lequel Charlie retint son souffle. Si Raymond ne répondait comme il en était convenu entre eux...

– Dans la voiture de papa, dit Raymond. Je me suis pris la main dans la portière. Là. Il désigna le dos de sa main.

– Je vois, dit le Dr Bruner, tandis que son confrère se rasseyait derrière son bureau et considérait les trois hommes d'un air bienveillant. Il demanda à Charlie :

– Monsieur Babbitt, cet entretien, comme vous le savez, n'a rien d'une procédure légale. Il n'y a ici ni avocat, ni juge. Seuls sont présents ceux qui... ont à cœur le bien-être de Raymond.

Hum-hum! Il y avait une note dans la voix du Dr Marston qui provoqua instinctivement la méfiance de Charlie. Trop poli pour être honnête, ce gars-là.

– Ce que j'ai à vous dire n'est pas chose facile, poursuivit le praticien, mais je...

– Votre opinion est faite, n'est-ce pas? l'interrompit avec colère Charlie. Il jeta un regard furieux au Dr Bruner et à son jeune collègue. Ces deux-là s'étaient bien acoquinés comme il le soupçonnait. Ils estimaient probablement que Charlie Babbitt n'aurait aucune chance contre eux. Eh bien, ils se trompaient lourdement! Et ils n'allaient pas tarder à le savoir.

Le Dr Marston secoua la tête, déniant l'interprétation de Charlie, mais celui-ci lisait un autre message sur le visage avenant du médecin. Un message qui disait : tu as perdu, crétin. Non, manifestement, ça ne les intéressait pas de savoir où en était Raymond, quels progrès il avait faits. Eh bien, ils ne connaissaient pas Charlie Babbitt. Il y avait encore quelques rounds avant qu'il soit compté K.O.

– Je ne suis ni juge ni jury, dit le Dr Marston d'un ton persuasif. Je suis médecin, et appelé à témoigner devant une juridiction qui décidera de la tutelle de Raymond. Je dois dire que Wallbrook est un établissement remarquable. Le Dr Bruner est un professionnel très respecté. J'ai lu attentivement le dossier médical de votre frère. Son cas est incurable.

Charlie se leva. Il tourna la tête vers Raymond et dit calmement :

– Allez, viens, Ray. Nous perdons notre temps, ici. Allons plutôt jouer au base-ball. Messieurs, nous nous reverrons au tribunal.

– Attendez un peu, je vous prie, Charlie, intervint le Dr Bruner. Le Dr Marston essaie de vous faire comprendre que personne ici n'est votre ennemi.

– C'est juste, dit Charlie d'une voix méprisante. Personne ne veut m'enfermer pour le restant de mes jours. Si c'était le cas, d'ailleurs, il n'y en aurait qu'un seul dans cette pièce qui serait de mon côté. Et ce serait mon propre frère!

Les regards se tournèrent vers Raymond, qui avait sorti le petit portable de la mallette et s'absorbait dans la recherche d'un programme. Il n'avait pas tout à fait l'air du héros que sous-entendaient les paroles de Charlie.

– Et si vous pensez que vous allez me l'enlever, vous croyez au père Noël!

– Cessez de vous raconter des histoires, Charlie, dit le Dr Bruner. Vous savez, même votre père, avec tous ses défauts, ne s'est pas laissé abuser par son orgueil... au sujet de Raymond.

– Orgueil, hein? gronda Charlie. Regardez-vous donc dans la glace, mon vieux. Ray a fait plus de progrès avec moi en une semaine qu'il en a fait avec vous en vingt ans! Et ça, c'est une évidence contre laquelle vous ne pouvez foutrement rien!

Marston et Bruner échangèrent des regards perplexes. Puis le Dr Marston regarda Raymond.

– Ray, vous avez dû faire un fameux voyage avec votre frère, n'est-ce pas? Vous voulez bien nous le raconter?

Sans quitter les yeux du petit écran vert, Raymond dit :

– J'ai vu la tombe de papa. Et j'ai joué aux cartes. Et j'ai battu Charlie Babbitt au base-ball. Et j'ai conduit la voiture...

– Eh bien! s'exclama le Dr Marston. Quel voyage! Il demanda à Charlie :

– Il a conduit une automobile?

Mais Charlie n'eut pas le temps de répondre. Raymond était impatient de conter ses aventures.

– Oui, et vite! dit-il. Et j'ai rencontré une entraîneuse, et...

– Racontez-moi ça, l'interrompit le Dr Marston en haussant les sourcils d'un air sceptique.

– Elle s'appelle Iris. Elle est jolie.

Charlie commençait à s'agiter. Ce qu'était en train de rapporter Raymond ne faisait pas partie du texte qu'ils avaient répété. Jouer aux cartes, conduire une automobile, et vite encore, rencontrer une prostituée, cela participait d'une drôle de thérapie. Non, décidément, ça s'annonçait mal, très mal. Mais il n'osait interrompre Raymond. Dieu seul savait ce que cela pourrait provoquer.

– Où avez-vous rencontré Iris? demanda le Dr Bruner.

– Là où on boit des verres.

– Dans un bar? dit le Dr Bruner, et Raymond hocha la tête.

– Un bar, c'est ça.

– Comment saviez-vous que c'était une entraîneuse, Raymond?

– Charlie Babbitt l'a dit. Il a dit qu'une entraîneuse était gentille avec les hommes, s'ils lui donnaient de l'argent. Il a dit que l'argent rendait les gens gentils. Il m'a donné de l'argent pour elle...

Charlie se vit forcé d'intervenir.

– Elle devait seulement danser avec lui. C'était totalement innocent!

– Savez-vous comment Raymond aurait réagi si cette fille lui avait passé les bras autour du cou? demanda froidement le Dr Bruner à Charlie.

– Ouais! Il aurait dansé avec elle! hurla Charlie.

Son éclat fit sourire les deux médecins mais Raymond déclara tranquillement :

– J'ai dansé avec Susanna.

Il aurait été difficile de dire qui était le plus étonné, de Charlie ou des deux psychiatres. Susanna? Pourquoi ne lui avait-elle rien dit?

– Mais pas comme avec Charlie Babbitt, ajouta Raymond.

Les trois hommes se tournèrent vers lui, et le Dr Marston demanda :

– Qu'entendez-vous par là, Raymond?

La question était embarrassante. Raymond se tordit les mains, signe d'un trouble et du début d'une inquiétude. Il se mit à parler rapidement, les mots jaillissant de façon saccadée, entrecoupés de pauses anxieuses.

– Charlie Babbitt... m'a serré fort... Il ne me lâchait pas... allez... entre frères... on se serre dans les bras... – Raymond s'agitait de plus en plus en parlant, et il commençait à être pris de tremblements... – Blessure Grave... Blessure Grave... et je... je serais le premier sur... sur sa liste des Blessures Graves... en 1988... Raymond se tourna vers Charlie et le regarda dans les yeux... Et... nous... nous ne sommes pas... des frères...

Oh, mon Dieu! J'aurais tout gâché. Tout! pensa Charlie avec effroi. Pour la première fois il voyait le revers de la médaille, le mauvais effet qu'il avait pu avoir sur Raymond en même temps que le bon. D'une voix vibrante de chagrin, il dit à Raymond :

– Je... croyais que tu... tu m'avais pardonné.

– Quelquefois, répondit Raymond.

Quelquefois. Charlie se tourna vers le Dr Bruner et tenta d'expliquer :

– J'ai commis une erreur. J'ai voulu qu'on se donne une accolade... qu'on se prenne dans les bras comme... comme deux frères. Je pensais que si je parvenais à briser sa phobie du contact physique, j'aurais gagné... je voulais être celui qui lui ferait découvrir ce que c'était que de serrer un frère contre soi... ce que c'était de danser avec une fille, de l'embrasser...

– J'ai embrassé une fille! déclara soudain Raymond d'un ton de triomphe.

Un silence stupéfait accueillit ses paroles.

– Tu as embrassé Iris? demanda, incrédule, Charlie.

Raymond secoua la tête.

– Susanna. Dans l'ascenseur. Après la danse.

Un nouveau silence tomba tandis que les trois hommes contemplaient ce miracle. Puis le Dr Marston demanda doucement :

– Ainsi vous avez embrassé une fille. Dites-moi, Raymond, comment c'était?

– Mouillé.

La réponse laissa bouche bée les Drs Marston et Bruner, tandis que Charlie souriait à s'en décrocher la mâchoire.

– Le cas de Raymond est très... attirant, dit le Dr Marston. Je comprends qu'on veuille être celui qui le guérira. Cela fait partie de son charme, n'est-ce pas, Raymond?

Raymond hocha la tête affirmativement.

– Vous avez aimé ces vacances avec votre frère?

Raymond opina derechef.

– Mais il est temps maintenant de rentrer à Wallbrook, dit le Dr Marston, voix suave et ton persuasif.

Charlie était déjà debout, prêt à mordre.

– Écoutez, siffla-t-il entre ses dents. On ne veut pas de l'argent de ce bon Dr Bruner ni de ses conseils paternalistes. Ray et moi, on se débrouille très bien seuls.

Le Dr Bruner, qui était resté silencieux pendant ces dernières minutes, se pencha en avant sur son fauteuil et considéra Raymond d'un regard aigu. Il était temps de vérifier si Raymond avait accompli tous les progrès que son braillard de frère prétendait.

– Dites-moi encore, Raymond, comment vous vous êtes blessé à la main?

Raymond détourna les yeux du médecin.

– Bien sûr, la portière de l'auto... de l'auto de papa... bredouilla-t-il.

– « Bien sûr » signifie qu'il est inquiet, dit le Dr Bruner à son collègue. Comme s'il...

– Il ment! l'interrompit Charlie. Il ment pour me couvrir. Tout est de ma faute. Ça s'est passé quand je le serrais contre moi. Je ne voulais pas le lâcher. Je vous l'ai dit, je pensais qu'on parviendrait à communiquer, qu'il comprendrait que je l'aimais. Mais il s'est affolé. Il s'est mis à se mordre la main... Charlie se tourna vers le Dr Marston... C'est ma faute, répéta-t-il, douloureux... Mais je sais maintenant comment il faut faire. Je vous promets...

Le Dr Bruner s'était levé en secouant tristement la tête, et Charlie comprit qu'il venait de perdre.

– Je ne doute pas de votre sincérité, Charlie, dit le Dr Bruner, mais l'eau est trop profonde. Vous vous noieriez.

Bruner avait raison, à la fois en théorie et en pratique. Le cas de Raymond était une chose que seuls des professionnels pouvaient comprendre et peut-être maîtriser. Toute la bonne volonté de Charlie n'y suffirait pas.

Mais il y avait là une belle ironie. Ce qui frappait le plus parmi ce qu'avait pu dire ou faire Raymond, ce n'était pas qu'il avait dansé, joué aux cartes, conduit une automobile et même embrassé une femme. Non, le plus extraordinaire était qu'il avait menti. Il avait menti pour protéger Charlie Babbitt, son frère. Et les autistes ne mentaient jamais. Le mensonge impliquait un mobile, un but, une raison de le faire. Les autistes comme Raymond étaient irrémédiablement étrangers à de telles intentions. Ils ne pouvaient faire de projets; ils ne disaient pas de mensonges.

Charlie ne pouvait pas le savoir, mais les deux médecins en firent aussitôt le constat. Et tous deux saisirent qu'une relation forte s'était établie entre les deux frères, que Raymond Babbitt avait communiqué avec un autre être humain. C'était un miracle.

Un miracle, peut-être, mais un qui ne pouvait être que temporaire. Comme la grenouille dans le puits du problème d'algèbre, un autiste pouvait de temps à autre remonter en direction de la margelle, mais il était condamné à retomber. Dans le problème, la grenouille parvient à sortir du puits, mais dans la réalité l'autiste n'y arrive jamais. Le puits est trop profond, la grenouille trop handicapée.

Il appartenait à présent au Dr Bruner de prouver à Charlie cette cruelle fatalité. Il s'approcha de Raymond qui serrait nerveusement le précieux petit portable que Charlie lui avait acheté. Le Dr Bruner se pencha au-dessus de lui.

– Raymond, que voulez-vous?

La réaction fut aussi prévisible qu'immédiate. Raymond se retrouva plongé dans la plus extrême confusion. Il se tordait les mains, le corps parcouru de tremblements, roulant des yeux effarés.

Le Dr Bruner n'aurait pu souhaiter démonstration plus flagrante. Mais il voulait plus encore. Il lui fallait convaincre une bonne fois pour toutes non seulement son collègue mais surtout Charlie Babbitt. Et il ne le faisait pas poussé par un quelconque orgueil professionnel qu'il avait depuis longtemps banni de sa pratique, mais pour démontrer qu'on ne saurait jouer les apprentis sorciers, qu'il n'y avait pas de miracle, et que le bien de Raymond Babbitt ne passait et ne passerait jamais par une quelconque illusion.

– Dites-moi, Raymond, que voulez-vous? demanda-t-il de nouveau en haussant la voix.

Raymond n'était plus capable de penser. Il essaya de regarder vers Charlie, mais le Dr Bruner se plaça de l'autre côté du fauteuil, lui bloquant la vue.

Raymond gémissait, le souffle court. Il se retirait rapidement dans quelque monde secret où ses rituels le protégeraient, ces mêmes rituels auxquels Babbitt s'était efforcé de l'arracher.

– Regardez-moi, Raymond! QUE VOULEZ-VOUS?

– Arrêtez ça! cria Charlie, à l'agonie. Ça le rend fou! Et vous le savez bien! Il se tourna vers le Dr Marston, comme pour lui demander son aide.

Mais le Dr Marston observait Raymond avec une curiosité toute scientifique.

– Mais pourquoi Raymond réagit-il ainsi? demanda-t-il.

– Parce qu'il ne sait pas quoi répondre, répondit Charlie. Il n'aime pas qu'on lui demande ça!

Le Dr Bruner continuait, bien décidé à mener sa démonstration jusqu'au bout, à prouver l'incurabilité du cas de Raymond Babbitt.

– Il faut me le dire, Raymond, insista-t-il, tandis que Raymond s'enfermait derrière un mur de chuchotements. QUE VOULEZ-VOUS?

Raymond glissa de son fauteuil pour tomber à genoux sur le sol et se mettre à se balancer d'avant en arrière en chuchotant sans cesse. Il claquait des dents, frissonnait dans tout son corps, comme si un froid glacial le pénétrait jusqu'aux os.

– Ce n'est pas qu'il n'aime pas ça, expliqua le Dr Bruner au Dr Marston. Cela le terrifie, le paralyse, parce qu'il ne sait pas répondre à cette question qui implique un désir, un but.

Raymond continuait de murmurer mais dans le bruissement des mots incompréhensibles, les trois hommes pouvaient maintenant percevoir un appel :

– C-h-a-r-l-i-e... C-h-a-r-l-i-e... C-h-a-r-l-i-e... articulait Raymond en une incantation magique, protectrice.

– Faux, lâcha Charlie. Il sait ce qu'il veut! Il repoussa le Dr Bruner et s'agenouilla à côté de Raymond, tendit la main vers lui mais, se rappelant au dernier moment, il la retira.

– Ray, regarde-moi. Je t'en prie, supplia-t-il.

Lentement Raymond leva la tête et regarda son frère. Leurs visages se touchaient presque.

– Dis-moi, Ray, chuchota Charlie. Je veux vraiment savoir ce que tu veux.

Les yeux de Raymond ne quittaient pas ceux de Charlie.

– Ce que tu veux, Charlie Babbitt?

Charlie sourit à son frère et secoua la tête.

– Non, on dit ce que tu veux, « Charlie », sans Babbitt.

Raymond hésita puis dit :

– Non, qu'est-ce que tu veux, Charlie, sans Babbitt? Toi, c'est toi que je veux.

Charlie se releva et regarda les deux médecins. Le garçon des rues face aux hommes de savoir.

– Et voilà, dit-il, avec un sourire rusé. Je veux mon frère. J'ai besoin de mon frère. C'était la première fois de sa vie qu'il avouait avoir besoin de quelqu'un. Et il savait dans son cœur que ce besoin ne pouvait lui être dénié.

– C-h-a-r-l-i-e... C-h-a-r-l-i-e... dit de nouveau Raymond, parce qu'il savait que cela faisait toujours sourire Charlie.

Charlie s'agenouilla à côté de Raymond. Il se sentit saisi par une violente affection pour son frère et, en même temps qu'il éprouvait ce profond sentiment, il comprit que toute lutte était vaine. Il n'avait pas perdu, mais c'était Raymond qui avait gagné. Durant le combat qui venait de se livrer pour déterminer qui aurait la garde de Raymond, le Dr Bruner avait révélé l'impuissance de Raymond, son inaptitude à la normalité, alors que Charlie avait montré combien il pouvait malgré tout progresser, au point d'établir une relation humaine. Les deux Raymond existaient, celui du Dr Bruner et celui de Charlie. Raymond retournerait à Wallbrook, car il y était heureux, et y bénéficiait des meilleurs soins. Mais il y retournerait avec une moisson de souvenirs et d'expériences que sa merveilleuse mémoire lui permettrait de revivre à sa guise. Le jeu de base-ball où Rain Man avait triomphé du Marteleur, une danse avec Susanna dans un ascenseur, un baiser, la table de jeu à Las Vegas, et tous ces souvenirs de son frère, Charlie Babbitt. Non, Charlie, sans Babbitt.

– Écoute, dit Charlie, ils vont peut-être te ramener là-bas dans la grande maison.

Manifestement cela donna à réfléchir à Raymond. Il porta la main à son veston pour en sortir son petit portefeuille et retirer la photographie écornée et pas trop abîmée par son séjour aquatique. Une bien jolie photo qui représentait un grand garçon de dix-huit ans tenant sur ses genoux un bel enfant de deux ans. Rain Man et Charlie. Deux frères. Il tendit la photo à Charlie et lui referma les doigts sur elle. Il touchait Charlie.

La main de Charlie dans celles de Raymond. Les secondes s'égrenèrent en silence. Charlie avait les yeux brouillés de larmes. Des larmes de chagrin, des larmes d'amour. Pour le frère qui allait partir, même s'il était sûr que ce n'était pas la dernière fois, qu'ils se reverraient. Ça, foi de Charlie Babbitt, ils allaient s'en payer d'autres, des vacances ensemble, lui et Rain Man. Un duo imbattable.

A voir les frères, leurs mains unies, leurs fronts joints, le Dr Bruner sourit. Ces deux-là n'étaient restés ensemble qu'une semaine, mais en si peu de temps, c'était extraordinaire tout le bien que Raymond avait pu faire à son jeune frère, Charlie.

Achevé d'imprimer en août 1989
sur les presses de l'Imprimerie Bussière
à Saint-Amand (Cher)

PRESSES POCKET - 8, rue Garancière - 75285 Paris
Tél. : 46-34-12-80

— N° d'imp. 9303. —
Dépôt légal : mars 1989.

Imprimé en France